La tragi-comédie

LITTÉRATURES MODERNES

La tragi-comédie

ROGER GUICHEMERRE

Professeur à l'Université de Poitiers

PRESSES UNIVERSITAIRES DE FRANCE

ISBN 2 13 036785 2

1re édition : 2e trimestre 1981
© Presses Universitaires de France, 1981
108, Bd Saint-Germain, 75006 Paris

SOMMAIRE

Introduction

Le terme de « tragi-comédie » apparaît en France dans la deuxième moitié du XVIᵉ siècle et désigne des œuvres dramatiques qui ne diffèrent guère, au début, des genres médiévaux encore en vigueur.

Le genre, qui donne déjà quelques pièces intéressantes, comme la *Bradamante* de Garnier (1582), se développe avec les pièces de Hardy, au début du siècle suivant. Sous l'impulsion donnée par Hardy, influencés par les sources auxquelles ils demandent le sujet de leurs pièces[1], désireux de satisfaire un public populaire qui ne se préoccupe guère de règles et cherche au théâtre du spectacle et des émotions fortes, les dramaturges des années 30 vont écrire des tragi-comédies romanesques, où se succéderont péripéties et coups de théâtre, au terme desquels les protagonistes — généralement un couple d'amants que persécute un père, un rival, ou que contrarie une série d'obstacles — trouveront enfin le bonheur, à la grande satisfaction du public. Cette forme de tragi-comédie connaît un très vif succès et est représentée par un grand nombre d'œuvres dans les années 1630-1640[2].

L'établissement progressif des règles — unités, bienséances, vraisemblance, distinction des genres —, l'influence d'une aristocratie qui s'est polie dans les salons, l'intérêt qu'un public,

---

1. Le *Roland furieux*; les nouvelles de BANDELLO ou de ROSSET, de BOCCACE ou de CERVANTÈS; la *Diane* de MONTEMAYOR ou les *Amadis*; bientôt l'*Astrée* ou les *comedias* de LOPE DE VEGA.
2. Pendant cette décennie, ROTROU donne une dizaine de tragi-comédies, DU RYER et SCUDÉRY presque autant, RAYSSIGUIER quatre, A. MARESCHAL, BOISROBERT, GOUGENOT plusieurs chacun, et P. CORNEILLE, après *Clitandre*, donne avec *Le Cid* le chef-d'œuvre du genre.

qui a lu les grands romans baroques, porte maintenant à la psychologie et aux questions morales, l'exemple aussi de la tragédie régulière entraînent, dès la fin de cette décennie et dans les années suivantes, une transformation du genre. Désormais, même si le goût du romanesque persiste, on a moins d'aventures, de rebondissements imprévus, de coups de théâtre ; les pièces, dont l'action se déroule souvent à l'intérieur d'un palais, gagnent en concentration dramatique et en profondeur psychologique, posent des problèmes politiques et moraux. C'est l'époque où Rotrou écrit *Laure persécutée* ou *Belissaire*, La Calprenède *Edouard*, Gilbert *Marguerite de France* et *Téléphonte*, Scudéry *Ibrahim* et Tristan *La Folie du Sage*.

Les désordres de la Fronde provoquent une crise du théâtre. La tragédie connaît une éclipse momentanée ; mais les Du Ryer, les Rotrou, les Baro écrivent encore des tragi-comédies ; Boisrobert revient au genre qu'il avait délaissé et donne coup sur coup trois pièces[3], suivi par Quinault qui, entre autres œuvres, fait jouer en 1658 sa belle tragi-comédie d'*Amalasonte*. Mais c'est le dernier éclat d'un genre qui va s'éteindre progressivement ; la tragi-comédie s'étiole, et l'on ne retrouvera plus, dans les pièces d'un Gilbert ou d'un Boyer, dans l'*Antiochus* de Th. Corneille ou dans les œuvres de Mlle Desjardins, les passions violentes, les déchirements pathétiques, les actions généreuses et hardies, qui faisaient les délices de la génération de 1630. La tragi-comédie, dont le nom même disparaît vers 1670[4], se confond maintenant avec la tragédie à fin heureuse. Les intermèdes cocasses, qui délassaient du pathétique ou de l'héroïsme, ont disparu depuis longtemps[5] : personnages bouffons et scènes comiques sont réservés à la comédie. Quant aux amateurs de spectacle et de merveilleux,

---

3. *Cassandre ; Les Coups de l'Amour et de la Fortune ; Théodore.*
4. On parle plutôt désormais de « comédie héroïque », terme déjà employé pour le *Dom Sanche* de P. CORNEILLE (1660).
5. Une exception notable seulement, *L'Ecolier de Salamanque*, de SCARRON (1654).

c'est dans les pièces « à machines » et, plus tard, à l'opéra, qu'ils pourront satisfaire leur goût.

La tragi-comédie aura donc vécu un peu plus d'un siècle, s'affirmant, après des débuts incertains, avec la *Bradamante* de Garnier et les pièces de Hardy, devenant le genre dominant autour des années 1630 et jusqu'à la Fronde, puis, après un bref éclat, déclinant peu à peu pour disparaître vers 1670, au moment où Racine, Molière, et bientôt Lulli, font triompher la tragédie, la comédie et l'opéra. Les limites chronologiques du genre coïncident donc approximativement avec la période qui s'écoule entre la Renaissance et l'âge classique, période qu'on appelle maintenant volontiers baroque. De fait, un examen plus approfondi nous montrera, dans les tragi-comédies, une tendance des dramaturges à frapper la sensibilité et l'imagination des spectateurs, une prédilection pour les violences de la passion ou l'héroïsme chevaleresque, pour les situations exceptionnelles ou les coups de théâtre, pour la feinte et le travesti, un style qui recourt aussi bien à l'emphase hyperbolique qu'aux stichomythies haletantes, à l'image brutale qu'aux raffinements de la « pointe », tous éléments caractéristiques de l'esthétique baroque, et qu'on retrouve également dans le drame élisabéthain ou dans la *comedia* espagnole. Il y a donc là une forme littéraire originale, très différente de la tragédie ou de la comédie humaniste, un théâtre très vivant où le spectacle et l'action physique ont une importance essentielle, et qui eut une vaste audience populaire. Sans doute, les procédés sont parfois un peu gros et les effets faciles, sans doute les sujets et les thèmes se scléroseront-ils assez vite, et la tragédie ou la comédie classiques, par la profondeur dans l'analyse des passions ou des caractères, par la rigueur de leur composition dramatique, par la pureté ou la force poétique de leur style, éclipseront les œuvres d'un Du Ryer ou d'un Scudéry. Mais, en introduisant l'action au théâtre, en opposant sur la scène des personnages mûs par leurs passions et s'affrontant dans les dialogues vigoureux, les auteurs de tragi-comédies ont frayé la voie au théâtre classique et quelques-unes de leurs créations ne sont pas indignes des chefs-d'œuvre tragiques de Corneille ou de Racine, des grandes comédies de Molière.

Peut-on définir la tragi-comédie et en cerner les caractères essentiels ? Les théoriciens du XVIIᵉ siècle aussi bien que les critiques modernes sont loin de s'accorder sur une définition précise du genre et émettent des opinions contradictoires, notamment sur des points aussi importants que le caractère heureux ou non du dénouement, ou le mélange du tragique et du comique. Pourtant il semble que, malgré le nombre et la diversité des œuvres, on puisse dégager un certain nombre de traits permanents.

On a vu parfois dans la tragi-comédie un théâtre irrégulier, refuge des écrivains qui refusaient la contrainte des règles. De fait, plusieurs dramaturges ont revendiqué une entière liberté pour le genre qu'ils pratiquaient, dans des préfaces retentissantes. Ainsi Ogier, préfaçant la tragi-comédie de *Tyr et Sidon*, de Jean de Schelandre (1628), s'élève contre les doctes qui veulent assujettir le genre aux règles des Anciens et, au nom du goût moderne, réclame le droit de dépasser les 24 heures, de multiplier les actions sur la scène pour plaire à un public « impatient et amateur de changement et de nouveauté », de « mêler les choses graves avec les moins sérieuses », comme dans la vie. Trois ans plus tard, André Mareschal, présentant sa *Généreuse Allemande*, refuse de se « restreindre à ces étroites bornes » du lieu, du temps et de l'action, et, préférant lui aussi une intrigue variée, avec des « accidents divers », aux « longues narrations qui feraient mourir d'ennui la plus ferme patience », prétend en user à sa guise avec les règles. Scudéry, tout en connaissant « les règles des anciens poètes grecs et latins », juge bon, dans *Ligdamon et Lidias* (1631), de se « dispenser de ces bornes trop étroites », et, dix ans après, dénie encore toute grâce à « une action toute nue, sans épisodes et sans incidents imprévus » (*Andromire, Au lecteur*, 1641). Aussi, alors que la pastorale et la tragédie se pliaient assez vite aux exigences des théoriciens, la tragi-comédie apparaît longtemps comme le retranchement des « irréguliers ». C'est ainsi que la définissent Fournel — elle est, dit-il dans *La littérature indépendante*, « comme un asile légal ouvert à ceux que gênaient les lois naissantes » — ou Brunetière, qui écrivait : « la liberté, c'est son domaine et aussi son moyen » (*Revue des deux Mondes*, 1901). Mais cette définition, qui n'est d'ailleurs pas très juste, car la tragi-comédie des années 1940 se soumettra dans une certaine mesure aux règles, est purement négative et ne précise pas du tout la nature et les caractères du genre.

Il est plus intéressant de constater que les sujets des tragi-comédies sont généralement sérieux et que, quoi qu'en disent les frères Parfaict[6], la vie, ou en tout cas le bonheur et la raison de vivre des protagonistes y sont souvent en péril. On trouve dans la tragi-comédie des « accidents graves et funestes », de « nobles aventures » ; les sujets en sont « héroïques », déclarent les dramaturges ou les critiques du temps[7]. Effectivement, les conflits qui opposent les personnages entraînent parfois la mort de l'un ou de plusieurs d'entre eux, et, si les héros ou les héroïnes finissent généralement par surmonter les obstacles, ils connaissent des épreuves douloureuses et le spectateur tremble souvent pour leur vie. Séparation des amants, contraintes que leur impose un père ou un prince tyrannique, violences et perfidies d'une rivale ou d'un jaloux qui veut les perdre, tels sont les thèmes qui reviennent constamment dans les tragi-comédies et qui donnent aux œuvres un caractère tragique indéniable.

Il est vrai, bien que certains aient contesté ce critère, que le dénouement est presque toujours heureux : le couple d'amants sympathiques parvient à désarmer l'hostilité du père ou du prince, les rivaux sont éliminés ou s'effacent volontairement, et tout finit par un mariage. « La tragi-comédie, écrit Chappuzeau, nous met devant les yeux de nobles aventures entre d'illustres personnes menacées de quelque grande infortune, qui se trouve suivie d'un heureux événement » ; Mairet parle

---

6. Ils parlent d'une action « dans laquelle il n'y a aucun danger pour la vie des principaux personnages » (*Histoire de Théâtre français*, III, 455).

7. DESMARETS, préf. de *Scipion* ; CHAPPUZEAU, *Théâtre français* ; d'AUBIGNAC, *Pratique du Théâtre*.

d'une « joyeuse et comique catastrophe » (Préface de *Silvanire*) ; pour Desmarets, « la fin est heureuse ». Même d'Aubignac, qui blâme d'ailleurs cet usage, constate qu'on appelle tragi-comédies les pièces « dont la catastrophe est heureuse, encore que le sujet et les personnes soient tragiques, c'est-à-dire héroïques ». Sans donner à cette assertion une valeur absolue — il y a des tragi-comédies qui finissent mal (voyez le *Bélissaire*, de Rotrou), et surtout le dénouement heureux n'est pas réservé au genre (voyez les tragédies à fin heureuse de P. Corneille) — on peut donc dire que la tragi-comédie, mettant en péril la vie ou le bonheur des protagonistes, est un genre sérieux, admettant le tragique et le pathétique, mais dont le dénouement est généralement satisfaisant pour les héros qui ont la sympathie du spectateur.

Un autre trait du genre est que les personnages principaux sont, comme dans la tragédie, d'un rang élevé, alors que la comédie peint surtout des bourgeois ou des gens du peuple. Les tragi-comédies de Hardy, de Rotrou, de Du Ryer, de Scudéry ont toujours pour protagonistes des rois et des princes, des infantes et des grandes dames, des gentilshommes, bref d'« illustres personnes », que l'action se déroule dans un état moderne ou dans une antiquité de fantaisie. Leur entourage — officiers, suivantes, valets — ne jouent la plupart du temps qu'un rôle secondaire. Certains dramaturges, il est vrai, introduisent dans leur tragi-comédies des personnages plus humbles : dans *Tyr et Sidon,* on voit des pêcheurs dépouiller un cadavre et un bourgeois faire assassiner le prince qui a séduit sa femme ; dans *Cléagénor et Doristée,* des voleurs enlèvent l'héroïne et lui enseignent leur art ; *L'Ecolier de Salamanque* nous introduit dans le monde de la pègre. Néanmoins ces personnages populaires demeurent assez rares et ne paraissent généralement que dans des scènes épisodiques destinées à détendre le spectateur. Ils disparaîtront d'ailleurs assez vite — sauf chez Scarron — lorsque la distinction des genres s'imposera au théâtre.

Un troisième caractère de la tragi-comédie, qui l'oppose à la tragédie, est de mettre en scène des sujets non-historiques.

Elle représente « des aventures privées », « qui ne sont pas authentiquées par l'histoire », écrit Brunetière. Les dramaturges vont en effet chercher leurs sujets de préférence dans les romans, les nouvelles, les *comedias* romanesques, qui développent des aventures fictives, même si des personnages historiques en sont les héros. Certaines tragi-comédies s'inspireront tout de même de l'histoire, mais, à la différence des tragiques qui analysent les desseins des princes et des grands ambitieux, ou qui exposent longuement les problèmes politiques de l'époque qu'ils évoquent dans leurs pièces, les auteurs de tragi-comédies ne s'intéressent guère qu'aux passions et aux problèmes sentimentaux de leurs personnages, c'est-à-dire à ce qui a le moins retenu l'attention des historiens et qui laisse donc toute liberté à leur imagination romanesque. Quand il écrit un *Scipion*, Desmarets oublie vite Tite-Live pour nous montrer la rivalité amoureuse de Lucidan et de Garamante auprès de la belle Olinde, l'émoi du général romain devant elle, ou le travesti piquant de la princesse Hyanisbe, venue au milieu des soldats réclamer son amant. Pour composer son *Edouard*, c'est à Bandello, non à un historien que s'adresse La Calprenède, et la peinture qu'il nous fait des états d'âme du roi amoureux, du courage d'Elips, des intrigues de Mortimer et de la reine-mère n'a plus grand chose de commun avec l'histoire du roi Edouard II d'Angleterre. Gilbert, Regnault, Rotrou traitent avec la même désinvolture les données que pouvait leur fournir l'histoire sur Marguerite de France, Pierre le Cruel ou Bélisaire.

A côté de ces caractères — sujet sérieux et fin heureuse, protagonistes de rang élevé, fable romanesque — à peu près communs à toutes les tragi-comédies, il en est d'autres, qu'on a cru parfois inhérents au genre, qu'on ne rencontre pas dans toutes les œuvres. Ainsi le mélange du tragique et du comique. Alors que pour Vauquelin de la Fresnaye[8], pour Mairet (Préface de *Silvanire*), pour Scudéry (*Observations sur le Cid*),

8. « On fait la comédie aussi double, de sorte
   Qu'avecques le tragic le comic se rapporte »
(*Art poétique*, I, p. 87).

pour Vossius[9], la présence de scènes comiques dans une tragi-
comédie est normale, Desmarets la refuse et d'Aubignac n'y
veut « rien qui ressente la comédie » : « tout y est grave et
merveilleux, rien de populaire ni de bouffon ». En fait, la part
du comique et sa nature — personnages bouffons, scènes de
comédie psychologique, plaisanteries plus ou moins grossières
— varient suivant les œuvres et le tempérament des dramaturges. Jean de Schelandre, dans *Tyr et Sidon*, intercale un
dialogue obscène entre des scènes pathétiques ; dans *Cléagénor
et Doristée*, Rotrou, après les aventures romanesques du début,
laissant un temps le héros à son désespoir, écrit les scènes
piquantes des actes III et IV, où l'on sourit de la rivalité amoureuse de la maîtresse et de la suivante, ainsi que de leurs
avances embarrassées à celle qu'elles prennent pour un jeune
page ; Scarron, lui, pimente l'héroïsme de son *Ecolier de
Salamanque* des réflexions impertinentes et terre à terre du
gracioso Crispin. Mais, la *Madonte* d'Auvray est toute
tragique, les péripéties dramatiques de *Clitophon* se succèdent
sans un moment de détente, les égarements du héros de *Cléomédon* ne font guère sourire, *L'amour tyrannique* reste dans le
pathétique. Aussi peut-on dire que la présence du comique,
dans le langage comme dans les situations ou les personnages,
n'est pas essentielle à la tragi-comédie, mais souvent admise, et
on en trouvera des exemples à toute époque du genre.

On ne peut pas non plus définir une structure dramatique
qui serait propre à la tragi-comédie. Ici encore, la diversité des
sujets, la variété des sources, l'évolution du goût entraînent des
différences. Quoi de commun entre des pièces comme *Théagène et Cariclée* ou *Clitophon*, qui, indifférentes aux unités,
déroulent dans différents pays une série d'aventures surprenantes, la *Madonte* d'Auvray, où la perfidie d'une femme
jalouse plonge un couple d'amants dans plusieurs épreuves
douloureuses, et des tragi-comédies comme *Théodore* ou
Edouard, qui sont de véritables drames domestiques à trois

9. Il rapproche dans sa *Poétique*, la tragi-comédie de la poésie satirique qui
« mêle le rire aux lamentations et, d'ordinaire, à partir des larmes, aboutit au
rire ».

personnages ? Constatons seulement que les auteurs de tragi-comédies, comme leurs spectateurs, ont généralement aimé les actions complexes, où les péripéties et les coups de théâtre se succèdent, ou bien où plusieurs intrigues se déroulent simultanément. La tragi-comédie romanesque qui développe une histoire *ab ovo*, comme les tragi-comédies « de palais » où les « méchants » cherchent par tous les moyens à perdre le héros ou la favorite, témoignent du même goût pour « le grand nombre des accidents », comme le constatait Rayssiguier (Préface de l'*Aminte du Tasse*).

Le même écrivain notait aussi la prédilection du public pour les scènes spectaculaires : « ils veulent, écrit-il, que l'on contente leurs yeux par la diversité et le changement de la scène du théâtre ». Là encore, il y a des différences entre les œuvres, et l'évolution du théâtre, qui tend à restreindre l'action dans le temps et l'espace, et à concentrer l'intérêt sur la psychologie des personnages, va limiter la part de l'élément spectaculaire dans les pièces écrites à partir de 1639-1640. Néanmoins les violences, les rapts, les combats et les duels, les guet-apens sanglants, les déguisements et les travestis, les scènes à grand spectacle (cérémonies et jugements solennels, duels judiciaires, remparts du haut desquels les assiégés parlementent avec les assiégeants), le merveilleux et la magie (narcotiques, statues s'animant) reviennent si souvent dans les tragi-comédies qu'on peut aussi considérer l'importance du spectacle comme une caractéristique du genre.

Ainsi, sans entrer dans des discussions byzantines sur les critères adoptés, en tenant compte aussi des « inflexions » dûes à l'évolution du goût et à la personnalité des dramaturges, on peut tenter de formuler une définition assez large qui dégage les traits caractéristiques de la tragi-comédie : une action dramatique souvent complexe, volontiers spectaculaire, parfois détendue par des intermèdes plaisants, où des personnages de rang princier ou nobiliaire voient leur amour ou leur raison de vivre mis en péril par des obstacles qui disparaîtront heureusement au dénouement.

Au cours de cette étude, après avoir brossé un panorama du genre de la deuxième moitié du XVIᵉ siècle à 1670 environ, panorama où nous signalerons les principales œuvres et en indiquerons sommairement le sujet[10], nous dégagerons les types d'intrigues et les situations qui reviennent constamment dans nos tragi-comédies, en esquissant ainsi une morphologie du genre. Suivra une étude dramaturgique, où seront passés en revue les problèmes techniques — temps et lieu, action, personnages, place et nature du comique — ; après quoi nous ferons un inventaire des thèmes récurrents dans toutes ces œuvres : amour et violence, conflits d'ordre social, familial, moral ; feinte et travesti, etc., avant de montrer, pour conclure, le caractère « expressionniste » de ce théâtre, au niveau du langage comme dans la mise en scène. Nous espérons ainsi donner au lecteur la curiosité de lire des œuvres qui ont été très appréciées en leur temps, qui souffrent souvent la comparaison avec les grandes œuvres classiques, et sans la connaissance desquelles on n'a qu'une image incomplète et déformée du théâtre au XVIIᵉ siècle.

---

10. Nous prions le lecteur d'excuser le caractère un peu monotone de ces « dénombrements » et l'aridité de cette série de « sommaires », que rend indispensables la difficulté de se procurer ou de lire des œuvres dont la plupart n'ont pas été rééditées depuis le XVIIᵉ siècle. Nous avons, dans cet ouvrage, laissé de côté la « pastorale », souvent proche par ses sujets de la tragi-comédie — plusieurs pièces sont intitulées « tragi-comédies pastorales » — mais dont l'importance dans l'histoire littéraire et dans l'histoire des « mentalités », et aussi l'appartenance à plusieurs genres — poésie, théâtre, roman, comédie-ballet ou opéra — justifient une étude particulière.

CHAPITRE PREMIER

Panorama

ORIGINES

Le terme de tragi-comédie, apparu dans la seconde moitié du XVIᵉ siècle, qualifie un certain nombre d'œuvres dramatiques, encore très proches du théâtre médiéval[1]. Dans quelques-unes — *La Tragique Comédie françoise de l'Homme justifié par Foi,* d'Henri de Barrau (1552) ; *Le Desespéré,* de Claude Bouet (1595) —, on retrouve les allégories, les abstractions et le dénouement édifiant des Moralités. D'autres — *L'Argument pris du troisième Chapitre de Daniel*[2], par Antoine de La Croix (1561) ; *La Tragi-comédie de Tobie,* un acte de Mˡˡᵉ de Roches (1579), repris par Jacques Onyn (1597) ; *Jokebed, tragi-comédie de Moyse,* par Pierre Heyns d'Anvers (1580) — rappellent les Mystères et évoquent, comme eux, les épisodes miraculeux de la vie de personnages bibliques. Une troisième catégorie enfin, par ses sujets profanes et romanesques, préfigure déjà ce que la tragi-comédie allait devenir avec Hardy et ses successeurs. La *Polyxène,* de Jean Behourt (1597), reprend le sujet d'un Miracle, *Le Miracle de Notre-Dame de la marquise de la Gaudine* — un galant repoussé accuse une femme d'adultère, mais un champion oblige l'imposteur à reconnaître son innocence[3] —, mais l'élément religieux dispa-

---

1. Les origines du genre ont été étudiées par H.C. LANCASTER dans *The French tragi-comedy, its origin and development from 1552 to 1628,* chap. I et II.
2. C'est l'histoire des enfants jetés dans la fournaise par Nabuchodonosor.
3. Dans la tragi-comédie, le mari meurt opportunément pour permettre à la jeune femme d'épouser son sauveur.

raît, et la pièce est toute profane. *La Lucelle,* tragi-comédie en prose de Louis Le Jars (1576), avec son mariage secret, la fureur du père qui empoisonne les amants, son désespoir quand il apprend que le jeune homme est un prince polonais, et le retour à la vie des jeunes gens — la drogue n'était pas mortelle ! —, est une véritable comédie bourgeoise.

Mais le chef-d'œuvre du genre est sans doute la *Bradamante* de Robert Garnier (1582). La pièce — cinq actes en alexandrins — est tirée du *Roland furieux* de l'Arioste ; on y voit le chevaleresque Roger obligé de combattre la belle guerrière Bradamante dont il est épris, se sacrifiant pour un rival, Léon, qui, lorsqu'il apprendra les sentiments de son champion, lui laissera la belle. A côté de ces personnages romanesques et du majestueux Charlemagne, Aymon, père tyrannique, avare et fanfaron, apporte une note comique. Cette tragi-comédie, concentrée sur une crise — un mariage imposé risque de faire le malheur de deux amants —, respectant les bienséances — le combat n'est pas représenté —, présentant des conflits psychologiques — une famille divisée, Roger partagé entre son amour et les obligations qu'il a envers Léon —, édifiante — voir les tirades patriotiques du premier acte où la piété des personnages —, a déjà des qualités toutes classiques. Cependant en dépit de quelques réussites de ce genre, c'est Alexandre Hardy qui va populariser la tragi-comédie et en fixer les caractéristiques.

ALEXANDRE HARDY

Hardy reconnaissait avoir composé plus de 600 pièces de théâtre, dont la moitié au moins, sans doute, étaient des tragi-comédies. Nous n'en avons plus qu'une vingtaine, parmi lesquelles une en huit « journées », *Théagène et Cariclée.* Cette longue œuvre, écrite à la fin du XVIe siècle et publiée en 1623, s'inspire du célèbre roman d'aventures d'Héliodore, qu'Amyot avait traduit du grec (*Histoire Aethiopique de Héliodorus,* 1547). C'est l'histoire des tribulations de deux amants qui, après avoir vécu beaucoup d'aventures et échappé à maint péril, finissent par se marier. La pièce de Hardy consiste en une succession d'épisodes distincts — fuite et naufrage des amants, pirates qui se disputent Cariclée, séparations et retrouvailles, avances d'une femme à Théagène, capture par les soldats éthiopiens, immolation aux dieux, double reconnaissance finale — qu'unifie seulement l'intérêt que nous prenons pour le jeune couple persécuté. Mais la variété et la multiplicité des aventures, le relief de certains caractères, la force dramatique de quelques situations donnent tout de même de l'intérêt à ce monstre injouable.

Les autres tragi-comédies de Hardy sont aussi des histoires d'amours contrariées, dont certaines finissent tragiquement. Il s'agit tantôt de la vengeance d'un amant repoussé — dans *Arsacome,* un Scythe à qui le roi Leucanor refuse sa fille, fait tuer le roi et enlever la fille par deux amis dévoués ; dans *Aristoclée,* le riche et orgueilleux Straton, qui s'est vu préférer un autre prétendant par Aristoclée, attaque les jeunes époux : la jeune femme est tuée et son mari se suicide — ; tantôt c'est un amant volage qu'une femme réussit à reconquérir — Léocadie, l'héroïne de *La Force du Sang,* reconnaît, sept ans après, la demeure où Dom Alphonse l'a déshonorée et épouse le séducteur repentant ; dans *Félismène,* une jeune fille, abandonnée par son amant, le rejoint, le dispute à une rivale, et sauve le volage de ceux qui allaient l'assassiner. Ailleurs, des amants parviennent à surmonter les obstacles qui contrarient leurs amours : Phraarte, dans la pièce de ce titre, réussit à triompher de la haine du roi de Thrace, dont il a épousé secrètement la fille ; le héros de *La Belle Egyptienne* se fait « bohémien » par amour pour la belle Précieuse, qu'une reconnaissance opportune lui permettra d'épouser. D'autres pièces enfin sont des exemples de générosité récompensée : dans *Gésippe,* le héros, qui a cédé sa fiancée à un ami, est plus tard sauvé par lui et épouse sa sœur ; Frégonde — c'est le titre de la pièce — finit par se marier avec l'homme qui l'a aimée sans espoir et qui l'a conquise par sa générosité ; *Elmire,* enfin, nous montre la grandeur d'âme de l'épouse du comte de Gleichen qui, après l'avoir attendu fidèlement, accepte de vivre avec la princesse que son mari a ramenée d'Egypte.

Les sujets de ces tragi-comédies, on le voit, sont romanesques : alors que, pour ses tragédies, Hardy s'inspire des historiens anciens, il a ici cherché son bien dans les romans ou les nouvelles, antiques (Héliodore) ou modernes (Montemayor, Cervantès, Agreda, Boccace, Rosset). Il répondait ainsi au goût d'un public avide d'aventures et de situations exceptionnelles. C'est pour ce public aussi que, moins respectueux des règles que dans ses tragédies, il n'hésite pas à étendre la durée de l'action — deux ans au moins dans *Théagène*; sept ans dans *La Force du Sang* —, à la développer dans des lieux parfois fort distants — *Félismène, Elmire, Gésippe* —, à multiplier les péripéties dramatiques et les scènes pathétiques aux dépens de la psychologie des personnages, à mêler aux princes et aux nobles des gens du peuple, qui apportent souvent un élément comique, à terminer enfin ses drames par un dénouement heureux qui satisfait l'auditoire. Il fixait ainsi les traits du genre et marquait la route à ses successeurs.

Ce n'est pas que d'autres formes de tragi-comédie ne subsistent encore. En province, on joue encore, en particulier dans les collèges, des tragi-comédies religieuses — le *Jacob,* d'Anthoine de la Puyade, 1604 ; la *Clotilde,* de Jean Prévost, 1613 ; *Richecourt,* 1628 —, ou moralisantes et allégoriques — *L'Amour divin,* de J. Gaulché, 1601 ; *La Zoanthropie,* de François Auffray, 1619. Quelques farces aussi sont baptisées tragi-comédies, comme *La Subtilité de Fanfreluche et Gaudichon, et comment il fut emporté par le diable* (Rouen, 1610 ou 1622)[4]. Mais la tragi-comédie romanesque, telle que la concevait Hardy, devient le genre prédominant que vont illustrer quelques jeunes écrivains.

---

4. De cette période où le genre n'est pas encore nettement défini, retenons surtout *L'Ephésienne,* de MAINFRAY (1614), qui reprend, avec un certain réalisme psychologique et moral, l'histoire de la matrone d'Ephèse que Pétrone avait contée dans son *Satyricon.*

LE DÉVELOPPEMENT DU GENRE JUSQU'EN 1631

C'est d'abord Mairet qui, s'inspirant d'un épisode de *L'Astrée*, donne en 1625 sa *Chryséide,* encore une histoire d'amants séparés par la guerre et par le redoutable roi Gondebaut qui s'est épris de sa captive : Chryséide, grâce à un serviteur fidèle, a pu s'échapper et rejoindre Arimant, mais elle est reprise par le roi burgonde, qui, au terme d'un dernier acte pathétique, se laissera toucher et laissera la jeune fille épouser son amant. Les péripéties dramatiques, le *suspense* final, l'esquisse de conflits psychologiques — Arimant peut-il accepter le sacrifice de son serviteur ? la générosité va-t-elle l'emporter sur la passion dans l'âme de Gondebaut ? —, la vivacité du dialogue rendent cette première œuvre de Mairet encore très intéressante.

L'Astrée inspire encore à Auvray deux tragi-comédies. *Madonte* (1628-1631) nous montre les machinations de Lériane pour brouiller deux amants : médisance sur Madonte, qui provoque un duel entre Damon et un rival prétendu ; accusation mensongère qui entraîne la condamnation à mort de l'héroïne, sauvée à la suite d'un combat judiciaire où reparaissent ceux qu'on croyait morts — les péripéties ne manquent pas dans cette pièce, qui finit évidemment par l'heureux mariage des amants. Avec *Dorinde* (1631), on retrouve le roi Gondebaut, qui dispute à son fils Sigismond la belle Dorinde et qui finira par s'effacer, après maints épisodes dramatiques et romanesques, dont le combat spectaculaire entre Polémas et Sigismond, sous les murs de Marcilly.

Dans *Les Folies de Cardenio* (1629-1630), Pichou s'inspire, lui, d'un épisode fameux du *Dom Quichotte.* A l'aventure romanesque de l'amant désespéré, qui croit sa maîtresse infidèle et la retrouve à la fin, tandis que le séducteur revient à celle qu'il avait délaissée, Pichou ajoute le comique d'un Dom Quichotte fanfaron, très différent du héros de Cervantès. C'est aussi à un auteur espagnol qu'est empruntée *L'Infidèle Confidente,* drame très mouvementé de violence et d'amour.

Une tragi-comédie de cette époque est restée célèbre dans

l'histoire littéraire et marque l'importance croissante du nouveau genre. Il s'agit de *Tyr et Sidon* (1628), où Jean de Schelandre remanie, pour en faire une tragi-comédie, la tragédie qu'il avait écrite vingt ans auparavant. La pièce est précédée d'une préface où François Ogier, au nom du public «amateur de changement et de nouveauté», revendique pour l'auteur dramatique le droit de mettre sur la scène des aventures variées, impossibles à représenter en respectant l'unité de jour, et de «mêler les choses graves avec les moins sérieuses». De fait, la tragi-comédie de Schelandre, en deux «journées», montre une belle indifférence aux règles. Elle nous présente deux actions parallèles : à Sidon, la séduction par Léonte, le prince tyrien prisonnier, de la femme d'un vieillard, qui fait assassiner le jeune homme ; à Tyr, l'amour des deux filles du roi pour Belcar, prince sidonien, intrigue qui se termine par la mort tragique de l'une et, après une méprise dramatique, par le mariage de l'autre avec le héros.

L'action dure plusieurs mois, et nous transporte alternativement à Tyr et Sidon, dans une rue ou sur un champ de bataille, dans un palais ou au bord de la mer. Des scènes comiques, comme les disputes conjugales entre le vieux Zorote et sa volage épouse contrastent avec les duos d'amour lyriques des amants ou avec les épisodes dramatiques — combats, assassinat de Léonte, découverte du cadavre de Cassandre, désespoir de Méliane qui se croit trahie et qu'on accuse du meurtre de sa sœur, coup de théâtre qui la sauve *in extremis*. Avec ses péripéties spectaculaires et ses tableaux alternés, ses personnages brutaux ou sentimentaux, ridicules ou pathétiques, ses effets de *suspense* et ses coups de théâtre, la variété d'un style où abondent images et antithèses, la tragi-comédie de Jean de Schelandre est très représentative de l'esthétique baroque.

Deux autres écrivains, qui illustreront le genre par des œuvres nombreuses, débutent pendant cette période : Pierre Du Ryer et Jean Rotrou.

Le premier donne avant 1631 trois tragi-comédies. *Arétaphile* (jouée en 1628) est une sanglante tragi-comédie de palais :

l'héroïne, contrainte d'épouser l'assassin de son père, l'usurpateur Nicocrate, tente d'abord de l'empoisonner ; puis, après la
mort du tyran, elle évince son successeur avec l'aide de son
amant. La pièce pose des problèmes politiques — l'usurpation
et la tyrannie, le prince juste, les courtisans —, et ne manque
pas de scènes dramatiques : l'essai du poison sur un prisonnier ;
le dilemme de Nicocrate, épris d'une femme qui le hait ; l'assassinat de l'usurpateur. *Clitophon* (joué en 1629), comme le
roman grec dont cette tragi-comédie s'inspire, nous entraîne
dans une série d'aventures romanesques au cours desquelles
deux amants, Clitophon et Lucipe, traversent mille épreuves :
fuite en Egypte, naufrage et capture par des pirates, immolation — feinte — de l'héroïne, passion d'un roi égyptien pour
elle, enlèvement et fausse mort, retrouvailles des amants à
Ephèse, où une femme s'éprend de Clitophon, jalousie du
mari, qui fait arrêter le héros, etc. — autant de péripéties
romanesques, qui se succèdent sans grand souci de composition dramatique, et qui s'achèvent évidemment par le mariage
des amants. Quant à *Argénie et Poliarque*, une tragi-comédie
en deux journées (1629-1631), elle nous montre un roi de France
travesti en fille pour approcher la belle princesse dont il s'est
épris en voyant son portrait ; il la sauve d'abord de ravisseurs,
puis élimine successivement trois rivaux, avant de l'épouser. Le
romanesque — des déguisements, des rapts, un naufrage, une
reconnaissance —, le spectacle — des batailles sur la scène, un
feu d'artifice —, un conflit psychologique chez l'héroïne, des
thèmes politiques, quelques scènes comiques de paysans, tous
ces éléments coexistent dans cette pièce foisonnante, que Du
Ryer a tirée du roman latin de Barclay, *Argénis* (1621).

C'est aussi en 1629 que Rotrou donne sa première tragi-
comédie, *L'Hypocondriaque ou le Mort amoureux*. L'intrigue
en est relativement simple : Cloridan, qui a dû quitter sa
maîtresse Perside, sauve Cléonice de l'homme qui la violentait ;
Cléonice s'éprend de son sauveur et, pour le détacher de
Perside, lui fait croire qu'elle est morte ; Cloridan devient
fou de douleur ; l'arrivée de Perside lui rendra la raison, et
Cléonice se consolera avec un ancien soupirant.

La publication d'une tragi-comédie en deux journées d'André Mareschal, *La Généreuse Allemande* (1631), donne à son auteur l'occasion d'écrire une préface dans laquelle, plus encore que dans celle de *Tyr et Sidon*, la tragi-comédie, désormais reconnue, affirme son originalité et son indépendance : refus des unités qui amputent l'action, modernité et conformité au goût contemporain, primauté de l'action représentée sur le récit, dénouement heureux. La pièce elle-même, qui s'inspirerait d'une aventure véritable, reprend des situations connues : amant séparé de sa maîtresse et tenté par une autre femme, jalousie de la belle-sœur de celle-ci qui la dénonce au mari, guet-apens tendu par un rival, arrivée de la maîtresse travestie qui reconquiert son amant — autant de thèmes traditionnels de la tragi-comédie romanesque, qui firent d'ailleurs le succès de la pièce de Mareschal.

Ainsi, après l'impulsion donnée par Hardy, la tragi-comédie se développe grâce aux créations de quelques jeunes écrivains. Les sujets romanesques — amants séparés, amours contrariées par des haines, des intérêts et des ambitions, héros méritant sa belle par ses exploits, amante reconquérant un galant volage —, les situations dramatiques — désespoir des amoureux qui les conduit au suicide ou à la violence, travestis et déguisements qui provoquent bien des méprises, fuite des amants devant les persécutions familiales, rapt ou viol des belles qui se refusent —, presque tous les schémas d'intrigue et les motifs qu'on retrouvera dans la période suivante, où s'épanouit le genre, se rencontrent déjà dans les premières tragi-comédies de Mairet ou de Schelandre, de Mareschal ou de Du Ryer.

L'APOGÉE (1631-1642). LES GRANDS CRÉATEURS

Vers 1631, la tragi-comédie est devenue le genre dramatique le plus populaire, éclipsant la pastorale, en vogue jusque là, et l'emportant de beaucoup sur la tragédie ou la comédie[5]. Son succès est tel que les pastorales lui empruntent motifs et situations, et que plusieurs comédies s'intitulent tragi-comédies. Le succès du *Cid*, en 1637, maintiendra cette vogue jusqu'aux années 1640. Aux écrivains qui ont déjà illustré le genre — Mairet, Du Ryer, Rotrou —, vont se joindre de nouveaux dramaturges, plus ou moins célèbres : P. Corneille, Scudéry, Desmarets, Boisrobert, mais aussi Rayssiguier, Desfontaines, Gillet de la Tessonerie, Gilbert, Baro. Leurs œuvres s'inspirent de *L'Astrée*, du *Roland furieux*, des *Amadis*, de romans et de nouvelles — de Cervantès notamment —, et nous montrent presque toujours des amours contrariées par des princes jaloux, des pères intéressés ou des rivaux déloyaux. Le public semble apprécier davantage les scènes pathétiques et les dilemmes psychologiques, mais il est toujours friand d'action et de spectacle. Cependant, vers la fin de la décennie et sans doute sous l'influence du *Cid*, on remarque plus de régularité dans les tragi-comédies : l'action excède rarement les 24 heures, et elle se déroule souvent dans une même ville, parfois à l'intérieur d'un palais. L'intrigue demeure encore complexe, comme d'ailleurs dans la tragédie contemporaine à laquelle la tragi-comédie ressemble de plus en plus — en particulier, par la disparition des scènes comiques. Seul, le dénouement, heureux ou tragique, distingue parfois les deux genres.

DU RYER

Du Ryer, dont nous avons déjà cité trois pièces, continue à écrire des tragi-comédies. Un roman d'Audiguier lui inspire *Lisandre et Caliste* (1630-1632), suite de péripéties dramatiques comportant duel, assassinat, arrestation, évasion, combat judiciaire, au terme desquels les amants, justifiés, se marieront. *Cléomédon* (1634-1636) reprend l'histoire de Rosiléon de *L'Astrée* : le héros, guerrier d'origine inconnue, à qui le roi

5. Le répertoire de l'Hôtel de Bourgogne pour 1633-1634 comporte 29 tragi-comédies, 7 pastorales, 8 comédies et seulement 2 tragédies.

qu'il servait refuse sa fille pour la donner au prince qu'il a capturé, devient fou ; finalement, une reconnaissance opportune, en évitant un mariage incestueux, lui permet d'obtenir la main de la belle, « belle intrigue », selon d'Aubignac, qui admire l'art avec lequel Du Ryer a su concentrer une action assez compliquée. La tragi-comédie d'*Alcimédon* (1632-1634), pour être plus régulière, n'est pas moins complexe, avec son histoire d'amants réunis après une longue séparation et qu'un changement de noms empêche de se reconnaître ; mais le personnage de Rodope, la jeune veuve éprise du héros, qui tente de faire tuer sa rivale par un soupirant, permet quelques scènes dramatiques, dont Racine se souviendra. Citons encore *Clarigène* (1637-1639), encore bien romanesque — un rapt, un naufrage, deux personnages qui portent le même nom —, mais qui montre l'intérêt de l'auteur pour les conflits psychologiques et moraux. Après 1639, Du Ryer cessera pendant une dizaine d'années d'écrire des tragi-comédies pour se consacrer à la tragédie.

GEORGES DE SCUDÉRY

Scudéry va donner quelques-unes des meilleures tragicomédies de cette période. C'est à *L'Astrée* qu'il demande le sujet de ses quatre premières pièces. L'étonnante ressemblance des héros de *Ligdamon et Lidias* (1630-1631) entraîne l'un d'eux dans une série d'aventures romanesques : duel, emprisonnement, combat contre un lion, salut grâce à l'amour d'une jeune fille qui l'a pris pour son sosie, suicide manqué, etc. *Le Trompeur puni* (1631-1633) nous montre successivement la double supercherie d'un rival pour brouiller deux amants, puis la générosité du héros envers un second rival, qui s'effacera par reconnaissance[6]. *Orante* (1633-1635) s'inspire de la première partie de l'histoire de Chryséide et Arimant, dont Mairet avait dramatisé la suite : une jeune fille qu'on veut marier contre son

---

6. La deuxième partie de la pièce s'inspire, elle, du *Polexandre* de Gomberville.

gré, tente de se suicider ; son amant l'enlève ; un rival, sauvé par le héros d'un guet-apens, s'efface — voilà le sujet, banal, de cette tragi-comédie. *Le Vassal généreux* (1633-1636), enfin, reprend l'histoire de Childéric et nous montre la rivalité d'un gentilhomme avec le prince franc qui veut lui prendre sa maîtresse ; là encore, la loyauté du héros envers son prince lui vaudra d'obtenir celle qu'il aime.

Dans *Le Prince déguisé* (1634-1636), Scudéry s'inspire cette fois d'un épisode bien romanesque de l'*Adone* de Marino : un prince napolitain, épris d'une princesse sicilienne dont il passe pour avoir tué le père, se déguise en jardinier pour l'approcher et gagner son cœur ; dénoncé par une rivale et arrêté, il affronte en un combat judiciaire sa propre maîtresse, travestie, qu'il finit par obtenir de la reine, sa mère, qui renonce à sa vengeance. Le thème fournit à l'auteur des situations piquantes et quelques dilemmes dramatiques, et l'héroïne, amoureuse du meurtrier présumé de son père, nous fait parfois penser à Chimène.

Une des meilleures tragi-comédies de Scudéry est sans doute *L'Amant libéral* (1636-1638), qui, suivant une nouvelle de Cervantès, nous montre comment le généreux Léandre réussit à arracher la belle Léonise aux dignitaires turcs qui se la disputent. La rivalité des deux bachas, l'hypocrisie du cadi, la passion insensée de la femme de ce dernier pour le beau captif donnent lieu à des scènes pittoresques, qui rachètent les tirades grandiloquentes d'un amant bien chevaleresque.

L'Amour tyrannique (1638-1639), qui devait surpasser *Le Cid*, nous paraît bien mélodramatique, avec ce roi passionné et sanguinaire, épris de sa belle-sœur ; cette épouse que son mari poignarde pour éviter son déshonneur ; cette armée qui arrive opportunément pour les sauver. On y trouve néanmoins des conflits moraux pathétiques et de belles scènes, comme celle où le vieil Orosmane enjoint à son fils de ne pas céder au chantage de Tyridate qui le tient à sa merci[7].

7. La tragi-comédie est précédée d'un *Discours de la Tragédie,* où Sarrazin fait la théorie de la tragédie à fin heureuse, genre dans lequel il range la pièce de Scudéry.

Avec *Eudoxe* (1639-1641), Scudéry revient à *L'Astrée*, où était contée l'histoire de cette impératrice, prisonnière du roi vandale Genséric, et sachant lui résister pour rester fidèle à son amant Ursace. La pièce comporte de beaux dialogues stichomythiques et un épisode très spectaculaire, lorsque l'impératrice met le feu au palais pour échapper aux violences du Vandale. *Andromire,* qui suit *Eudoxe,* nous montre dans une Syracuse de fantaisie, des princes siciliens et des chefs numides se disputant le pouvoir et la main des princesses : les « incidents imprévus » et les « moyens surprenants » qui font, selon l'auteur, la supériorité de la tragi-comédie sur les autres genres, n'y manquent pas en effet.

Plus intéressant, *Ibrahim* (1641-1643), où Scudéry s'inspire de son propre roman, nous plonge dans une sombre intrigue de sérail : le héros, menacé par la jalousie du sultan et les intrigues de l'ambitieuse Roxane, réussit finalement à échapper aux embûches et à conserver sa vie et sa maîtresse. Un autre épisode du même roman fournit à Scudéry une *Axiane* (1643-1644), encore une pièce bien romanesque où un prince de Lesbos devenu pirate donne sa fille à un prince crétois, touché par l'héroïsme des amants venus se livrer à la place du roi de Crète, son prisonnier. *Arminius,* enfin, la dernière tragi-comédie de Scudéry (1643-1644), adaptation très fantaisiste d'un épisode de l'histoire, est loin d'être le « chef-d'œuvre » que se flattait d'avoir écrit le dramaturge, en faisant ses adieux à ses lecteurs.

Amours que contrarient des parents hostiles ou des rivaux puissants, fidélités émouvantes ou renoncements chevaleresques, quiproquos piquants, héroïsmes féminins ou brutalités d'amants passionnés, tout un univers romanesque revit dans ce théâtre où les belles scènes dramatiques sont nombreuses, et que gâte seulement, parfois, une rhétorique quelque peu emphatique et déclamatrice.

RAYSSIGUIER

Bien que Rayssiguier connaisse le goût du public pour les péripéties et les coups de théâtre[8], ses tragi-comédies se rapprochent plutôt de la comédie de mœurs bourgeoises. *La Bourgeoise* (1632-1633), par son titre, semble indiquer cette tendance, encore qu'on y retrouve des motifs bien traditionnels : deux couples d'amoureux contrariés par les projets d'un père, un malentendu entre les galants, l'amour intempestif d'une « bourgeoise », ce qui provoque duel, rapt, meurtre, avant les mariages du dénouement. Deux autres pièces s'inspirent de l'*Astrée* : *Les Amours de Palinice, Circeine et Florice* (1634) sont une adaptation dramatique de la situation complexe imaginée par d'Urfé — trois jeunes filles ayant chacune deux frères épris des deux autres jeunes filles. Rayssiguier a simplifié l'intrigue, individualisé les personnages, et le ton est celui d'une comédie galante. *La Célidée* (1635) met en scène l'héroïne de d'Urfé qui, aimée à la fois de l'oncle et du neveu, se défigure volontairement et constate ainsi que, seul, l'oncle l'aimait pour elle-même — belle intrigue dramatique que gâte malheureusement une intrigue secondaire bien artificielle.

La tragi-comédie des *Thuilleries* (1636) est plus réaliste : ces fausses lettres qui brouillent les amants, ces trois couples qui se font ou se défont au gré de la coquetterie des unes, de l'inconstance des autres, rappellent tout à fait l'atmosphère des premières comédies de P. Corneille.

MAIRET

Mairet, on l'a vu, avait été l'un des premiers, après Hardy, à cultiver le nouveau genre. Le dramaturge, après avoir écrit une pastorale régulière, tente de soumettre aux unités sa tragi-comédie de *Virginie*. Un conflit entre deux princes, des jeunes gens élevés comme frère et sœur, une amante repoussée que sa gouvernante — la diabolique Harpalice — veut venger, un

---

8. Voir sa préface à *L'Aminte,* tragi-comédie pastorale (1632) : « La grande part de ceux qui portent le teston à l'Hôtel de Bourgogne veulent que l'on contente leurs yeux par la diversité et changement de la face du théâtre. »

combat judiciaire, une reconnaissance qui permet le mariage des jeunes gens : on a là tous les poncifs de la tragi-comédie romanesque. Mairet écrit ensuite trois tragédies, puis revient, à la fin de sa carrière littéraire, à la tragi-comédie avec quatre pièces de sujets très différents. *L'Illustre Corsaire* (1640), romanesque à souhait, nous montre un prince devenu pirate, qui regagne son trône et épouse celle qui le repoussait, après avoir sauvé son père et battu un rival. Dans le *Roland furieux* (1640), l'idylle amoureuse entre Angélique et Médor, qui provoque la folie de Roland, se double de l'histoire tragique d'Isabelle et de Zerbin, victimes de la passion brutale de Rodomont. L'héroïne d'*Athénaïs* (1642) finit par épouser l'empereur Théodose, qui l'avait soupçonnée d'aimer le favori Paulin ; et celle de *Sidonie* se marie avec son prince, lorsqu'elle apprend que Pharnace, qui voulait l'épouser, est son demi-frère. Mais ces tragi-comédies sont à coup sûr la part la moins réussie de l'œuvre de Mairet.

ROTROU

Rotrou, par contre, devait s'illustrer aussi bien dans la tragi-comédie que dans les autres genres que ce dramaturge fécond a abordés, et, parmi la dizaine de tragi-comédies qu'il a composées de 1631 à 1642, il y a quelques chefs-d'œuvre. Ce sont des pièces romanesques, où l'on retrouve les thèmes et les situations déjà rencontrés dans les œuvres contemporaines.

Après *L'Hypocondriaque,* Rotrou va chercher des modèles dans la *comedia* espagnole, qui allait lui inspirer bon nombre de ses œuvres. Il tire ainsi d'une pièce de Lope de Vega ses *Occasions perdues* (1633-1635). L'intrigue en est trop complexe pour se résumer. Bornons-nous à dire que le héros, Clorimand, après s'être débarrassé de trois assassins, est aimé de la reine de Naples, Hélène, ainsi que de sa fille d'honneur, Isabelle, ce qui ne fait pas l'affaire des amants de ces dames ; après une succession de péripéties et de méprises variées, tout s'arrangera pour le mieux dans cette véritable comédie des erreurs.

Cléagénor et Doristée (1634), qui s'inspire d'un roman de

Sorel, est à la fois une tragi-comédie d'aventures et une comédie des méprises. Les deux premiers actes sont très mouvementés : Cléagénor retrouve sa maîtresse aux prises avec son ravisseur, il tue celui-ci et son complice, mais Doristée est emmenée par des voleurs, tandis que lui-même est arrêté pour meurtre ; nous retrouvons ensuite Doristée qui, sous son travesti masculin, a été enrôlée par les voleurs : elle fait mine d'attaquer un passant et se retourne contre ses ravisseurs ; du coup, le passant, Théandre, l'engage à son service comme page. Les trois derniers actes, qui se passent chez Théandre, nous font assister aux avances de la femme de Théandre et de sa suivante, toutes deux éprises du joli page, tandis que Théandre lui-même ressent quelque inclination pour celle dont il a deviné le sexe. Le retour de Cléagénor, heureux de retrouver sa chère Doristée, ramènera la paix dans la maison. Après les péripéties nombreuses du début, qui devaient charmer un public populaire, la pièce devient donc une piquante comédie, où la rivalité amoureuse de la maîtresse et de sa suivante, leur commune méprise sur le sexe du page, les querelles de ménage entre deux époux également infidèles et l'embarras de Doristée, sollicitée de tant de côtés, donnent quelques scènes fort amusantes et bien menées.

L'Heureuse Constance (1633-1636), encore inspirée de Lope, est une tragi-comédie « de palais ». On y voit un roi de Hongrie, sur le point d'épouser la reine Arthémise, s'éprendre tout à coup de la belle Rosélie, et tenter de la séparer de son amant, Alcandre, le propre frère du roi, par divers stratagèmes. Tout s'arrange quand ce roi instable tombe amoureux d'Arthémise, venue incognito à la cour, et renonce à persécuter les fidèles amants. Romanesque et politique se mêlent curieusement dans cette tragi-comédie, où les scènes émouvantes — celles où Rosélie défend courageusement son amour — contrastent avec d'autres, comiques, comme celle où l'on voit Ogier, le valet lourdaud d'Alcandre, vêtu des habits de son maître, faire une cour bouffonne à la reine dalmate, situation plaisante dont se souviendront Scarron et Molière.

Comme dans *Les Occasions Perdues*, on retrouve dans

L'Heureux Naufrage (1634-1637) un héros séduisant, Cléandre, recherché par deux femmes, la reine Salmacis et sa sœur Céphalie ; mais le beau naufragé reste obstinément fidèle à sa maîtresse, Floronde, qui a aussi échappé au naufrage et qui, travestie, passe pour un domestique. Cette pièce romanesque atteint au pathétique au cinquième acte, lorsque Céphalie, puis Salmacis elle-même essaient d'arracher le héros au supplice auquel la reine, dans un accès de jalousie, l'avait condamné. Plus invraisemblable encore est l'intrigue de *Céliane* (1632-1637) : Pamphile, malgré son amour pour Nise, est disposé à la céder à son ami Florimant, qui s'en est épris ; mais Céliane, la maîtresse de ce dernier, se travestit en jardinier et caresse Nise devant Florimant, qui, ne voulant pas d'une épouse « lascive », revient à ses premiers sentiments. La pièce comporte toutefois un thème intéressant, le conflit entre l'amitié et l'amour, que d'Urfé et Hardy avaient déjà abordé[9].

Les deux tragi-comédies suivantes de Rotrou, *La Pèlerine Amoureuse* (1633-1637) et *Amélie* (1633-1638), développent, différemment, une même situation : un jeune homme, croyant sa maîtresse morte, songe à épouser une autre femme, elle-même éprise d'un autre et peu disposée au mariage qu'on lui propose. Dans *La Pèlerine Amoureuse*, Lucidor, las de pleurer Angélique, porte ses vues sur Célie, qui, éprise en secret d'un peintre, feint la folie lorsque son père veut la marier à Lucidor ; heureusement, l'arrivée d'Angélique et une reconnaissance opportune permettront le bonheur des deux couples. Dans *Amélie*, c'est Eraste que le père de l'héroïne veut lui faire épouser ; Amélie part alors avec son amant, Dionis, poursuivie par Eraste ; mais un inconnu s'interpose : c'est Cloris, la maîtresse qu'Eraste croyait morte et dont il est toujours amoureux, retour qui, ici encore, amène un double mariage. Ce sujet romanesque est égayé par la double méprise que provoque le travesti de Cloris, ainsi que par les apparitions bouffonnes d'un capitan, dont les menaces emphatiques sont suivies de reculs moins glorieux.

---

9. Voir *L'Astrée,* II, 1 et 2 (Histoire de Célidée), et *Gésippe.*

L'Innocente Infidélité (1635-1637) fait appel à la magie : grâce à un anneau enchanté, l'intrigante Hermante reconquiert le cœur du roi Félismond, qui délaisse sa jeune épouse, Parthénie, et donne même l'ordre de la tuer ; heureusement le dévoué Evandre sauve la reine que Félismond, revenu à la raison, est heureux de retrouver. Quelques scènes particulièrement dramatiques, comme celles où Hermante exprime sa haine contre Parthénie, ou celles où Rotrou dépeint la passion irrésistible de Félismond pour son indigne maîtresse, font oublier l'artifice du sujet. Bien romanesque aussi est cet *Agésilan de Cochos* (1636-1637), où l'on voit une « reine de Guindaye », Sidonie, promettre la main de sa fille Diane à celui qui tuera l'infidèle Florisel, « empereur de Grèce », et le héros, Agésilan, se travestir en fille pour approcher la belle Diane. Agésilan, après plusieurs exploits, livrera Florisel à la reine, mais celle-ci pardonnera au volage repentant, et Agésilan épousera Diane qui lui a pardonné depuis longtemps son stratagème.

Les deux dernières tragi-comédies que Rotrou a écrites pendant cette période, s'inspirent d'auteurs espagnols. *Les Deux Pucelles* (1636-1639) dramatisent l'histoire, contée par Cervantès, de deux jeunes filles, parties, travesties, à la poursuite d'un galant volage ; l'une réussit à le reconquérir, tandis que l'autre se console en épousant le frère de la première — sujet bien romanesque qu'égayent les épisodes de l'hôtellerie où une aubergiste un peu tendre se méprend sur le sexe des deux charmants travestis. *Laure persécutée* (1637-1639), inspirée d'une *comedia* de Lope, est une des meilleures pièces de Rotrou. La situation pathétique de l'héroïne, aimée par le prince Orantée, en dépit du roi son père, qui songe à faire périr la jeune-fille[10] ou à la discréditer aux yeux de son fils, donne lieu à des scènes dramatiques, que gâte malheureusement un dénouement artificiel : on découvre que Laure est une princesse polonaise que, du coup, Orantée pourra épouser, tandis que le roi se mariera avec la sœur !

Malgré la diversité des sujets, on voit par ces analyses,

10. C'est l'histoire d'Inès de Castro, tant de fois mise au théâtre.

forcément rapides, que les mêmes thèmes et les mêmes situations se retrouvent d'une pièce à l'autre. Fidélité des amants malgré les efforts qu'on fait pour les brouiller, stratagèmes pour conquérir la personne qu'on aime, violences de ceux qui sont mal aimés, quiproquos et méprises piquantes dus à un déguisement ou à un travesti, la passion et l'illusion dominent dans ces tragi-comédies pleines de péripéties romanesques, de pathétique et de vie.

P. CORNEILLE

En dépit du talent de Rotrou, c'est pourtant P. Corneille qui devait donner le chef-d'œuvre du genre. L'auteur de *Mélite* s'était déjà essayé à la tragi-comédie avec son *Clitandre* (1632). Un galant tuant les assassins appostés par un jaloux, sa maîtresse échappant de justesse à un second crime, le perfide Pymante éborgné par celle qu'il tentait de violer, un innocent emprisonné pour un meurtre qu'il n'a pas commis — voilà quelques-unes des péripéties d'une pièce, qui se termine heureusement par le châtiment du scélérat et par un double mariage. Cette tragi-comédie mal composée, entassant en 24 heures des aventures invraisemblables, valait surtout par l'expressionnisme baroque d'un style cherchant à frapper la sensibilité du spectateur.

Corneille revient à la tragi-comédie en 1637 avec *Le Cid*, où, suivant l'exemple de Rotrou, il s'inspire d'une œuvre espagnole, *Las Mocedades del Cid*, de Guillen de Castro. La pièce, que son auteur appellera « tragédie » à partir de 1644 et qui passe généralement pour un chef-d'œuvre « classique », a pourtant bien des éléments caractéristiques du genre tragi-comique : personnages hors du commun (l'amant chevaleresque qui offre sa tête à sa maîtresse offensée ou épargne le champion qu'elle lui oppose, la jeune fille héroïque sacrifiant son amour au devoir de vengeance, l'infante romanesque rêvant de son beau guerrier) ; situations dramatiques consacrées (une mort qui sépare deux amants, un conflit entre les liens du sang et la passion, des rivalités amoureuses) ; motifs traditionnels (insulte et duel sanglant, exploits du héros, combat judiciaire, amant que l'héroïne croit mort) ; scènes mouvementées (la querelle, le défi) ou pathétiques (Chimène et Dom Diègue aux pieds du roi, Rodrigue s'offrant à la vengeance de sa maîtresse). Il n'est guère de personnages, de situations ou de motifs *du Cid* qu'on n'ait déjà rencontrés dans les tragi-comédies de Du Ryer, Scudéry ou Rotrou.

Mais on voit aussi tout ce qui met ce chef-d'œuvre de notre théâtre au-dessus de la production contemporaine : la beauté tragique d'un sujet qui, selon la formule de l'auteur, oppose «l'impétuosité» d'une passion «aux lois du devoir et aux tendresses du sang», les dilemmes que cette situation suscite dans le cœur des protagonistes, l'héroïsme exaltant de Rodrigue, le déchirement pathétique de Chimène, l'effort sublime de ces amants qui, en sacrifiant leur bonheur, préservent la qualité de leur amour, un style admirable où l'éloquence s'allie au lyrisme, la ferveur de la passion à la vigoureuse concision des maximes.

AUTRES ŒUVRES

A côté d'un pareil chef-dœuvre, les autres tragi-comédies de l'époque pâlissent. Signalons tout de même les plus intéressantes. L'*Agarite*, de Durval (1633-1636), dut plaire surtout à cause du dramatique troisième acte[11]. Parmi les pièces de Beys, *L'Hôpital des fous* (1635) obtint la faveur du public moins pour son intrigue amoureuse que pour les personnages pittoresques de l'asile, élément comique que l'auteur devait développer en transformant plus tard sa pièce en comédie. Boisrobert a tiré de son *Histoire Indienne* la tragi-comédie de *Pyrandre et Lisimène* (1633), qui comporte substitution, innocent emprisonné et reconnaissance finale. Ses autres pièces — *Les Rivaux amis* (1639), dont le héros, épris à la fois de la femme et de la sœur du prince son ami, est aimé de surcroît par une autre sœur (!) ; *Palène* (1640), où la rivalité de Clyte et de

---

11. Voir *infra,* chap. V, p. 194.

Dryante pour la main de l'héroïne amène quelques scènes spectaculaires[12] — sont très romanesques et ne s'écartent guère des poncifs du genre ; tandis que ses *Deux Alcandres* (1640), avec ses méprises et ses quiproquos, tiennent plutôt de la comédie.

La Calprenède, qu'on connaît surtout pour ses romans, a écrit aussi pour le théâtre. Sa *Bradamante* (1637) est plus dramatique que celle de Garnier, et le sujet d'*Edouard* (1640) — la résistance d'Elips aux avances du roi d'Angleterre et les manœuvres de Mortimer pour perdre la jeune fille — inspire à son auteur de belles scènes pathétiques. Intéressantes aussi sont les tragi-comédies de Desmarets. Guez de Balzac faisait ses délices de *Scipion* (1639) : on y voit le général romain surmonter sa passion pour la princesse Olinde, qu'il donne à son amant Lucidan, tandis que le Numide Garamante, mal payé de sa trahison[13], se réconcilie avec la princesse Hyanisbe qui l'a suivi, travestie en soldat. On est loin de Tite-Live ! *Roxane* (1640) ajoute à l'histoire, racontée par Quinte-Curce, du meurtre par Alexandre de son favori Clitus, les intrigues de Phradates, fiancé de l'héroïne, qui tente d'assassiner le Macédonien[14].

Citons aussi, de Gilbert, *Marguerite de France* (1641), qui évoque la rivalité pathétique entre le roi d'Angleterre Henri II et son fils à propos de la princesse française ; et *Téléphonte* (1642), vétitable tragédie de la vengeance[15] ; de La Caze, *L'Inceste supposé* (1640), où la reine Alcinée, calomniée par son beau-frère qu'elle avait repoussé, est condamnée à mort par le roi son époux et heureusement sauvée par celui qui devait l'exécuter ; de Regnault, une *Blanche de Bourbon* (1642), où la

---

12. Un char saboté qui se renverse sur son conducteur ; l'héroïne, condamnée à mort par son père, devant l'autel où l'on va la sacrifier.

13. Il a livré Carthagène aux Romains et espérait obtenir Olinde.

14. Il faut citer aussi *Mirame* (1641), que Desmarets aurait écrite en collaboration avec Richelieu, pièce à grand spectacle, où l'on retrouve tous les poncifs du genre : princesse éprise d'un ennemi, fausse mort, poison inopérant, et reconnaissance qui permet le mariage final.

15. Le héros y tue l'usurpateur du trône de Messénie, ainsi que son fils, avant d'épouser la princesse étolienne que ce dernier lui disputait.

passion et la haine que Pierre le Cruel ressent tour à tour pour Marie de Padilla s'expriment en scènes pathétiques ; de Baro, une *Parthénie* (1642) et une *Clarimonde* (1643), deux pièces où un prince rend à son mari, ou à son amant, la belle captive dont il s'était épris. Si l'on ajoute à ces noms, ceux de Gillet de la Tessonerie (*Quixaire*, 1640, où l'on voit une princesse moluque, susciter des passions criminelles) ; d'André Mareschal (*La Sœur valeureuse*, 1635, avec ses multiples duels, des assassinats, des travestis, comme celui de l'héroïne qui se bat plusieurs fois sous l'habit masculin et qui est éprise de son propre frère) ; de Desfontaines, qui donne coup sur coup plusieurs tragi-comédies romanesques dans une Grèce de fantaisie (*Eurimédon ou l'Illustre Pirate,* 1637 ; *Orphise ou la Beauté persécutée,* 1638 ; *Hermogène,* 1639) et un *Bélisaire* (1641) ; de Chevreau, dont *Les Deux amis* reprennent le sujet de *Gésippe*, de Hardy (1638), on mesure l'importance d'un genre qu'ont pratiqué tous les dramaturges de l'époque.

Sujets et thèmes, on l'a constaté, ne varient guère d'une œuvre à l'autre. Ce sont toujours des amours contrariées par des rivaux malveillants, des princes jaloux, des intérêts et des ambitions, avec les mêmes épisodes attendus : rapts, déguisements, combats singuliers, fausses morts, reconnaissances. L'action physique et les éléments spectaculaires — batailles, meurtres, merveilleux parfois — l'emportent sur l'analyse des passions ou de la peinture des caractères. La plupart des œuvres, enfin, conservent une grande liberté de composition. Toutefois, surtout à partir de 1637, on remarque une tendance à plus de régularité. Si l'intrigue est rarement unifiée, l'action n'excède plus les 24 heures, et elle se limite de plus en plus au cadre d'une île ou d'une cité. La tragi-comédie d'aventures fait place à la tragi-comédie « de palais », et, à côté des péripéties romanesques, toujours goûtées du public, quelques dramaturges développent des dilemmes moraux ou psychologiques. Sans doute, la tragédie régulière, qui se développe à partir de 1635 avec Mairet, Scudéry et Tristan, puis s'affirme avec les grandes pièces de P. Corneille, influençant la tragi-comédie, incite-t-elle les dramaturges à plus de rigueur.

DE 1643 A LA FRONDE

Après l'épanouissement du genre dans les années 1630-1642, la tragi-comédie semble connaître un certain déclin. A partir de 1643 et jusqu'à la Fronde, la tragédie devient le genre dominant[16] ; la tragi-comédie lui emprunte des thèmes et des situations, et certaines pièces, en particulier celles de Rotrou, pourraient se classer indifféremment dans l'un ou l'autre genre. On retrouve encore les sujets traditionnels et les habituelles péripéties romanesques. Néanmoins quelques auteurs — Rotrou notamment — tentent de renouveler leur inspiration : on va chercher des sujets nouveaux dans les romans, en particulier dans les œuvres contemporaines des Scudéry ou de La Calprenède ; quelques dramaturges tirent leurs pièces de l'histoire ; enfin la *comedia* espagnole, si imitée par les auteurs comiques à partir de 1642[17], inspire aussi un certain nombre de tragi-comédies. Les pièces qu'on écrit maintenant sont généralement régulières, encore que l'unité d'action soit comprise de façon assez large et que les scènes ne soient pas toujours liées.

La plupart des écrivains dont nous avons déjà parlé, continuent à écrire des tragi-comédies. Du Ryer, après *Clari-gène* (1637-1639), se consacre surtout à la tragédie. Il écrit cependant une *Bérénice* (1645), où l'on retrouve les poncifs du genre : un roi et son fils rivaux, la crainte d'un mariage inces-tueux, une substitution qu'on apprend à la fin et qui arrange les choses. Deux autres pièces, *Nitocris* (1650) et *Dynamis* (1653) sont des tragi-comédies de palais où, dans des cours asiatiques, des ambitieux sans scrupules intriguent pour détrôner une reine ou perdre un favori. Scudéry prend le sujet de deux tragi-comédies, *Ibrahim* et *Axiane*, dans le roman qu'il avait composé avec sa sœur, tandis que son *Arminius* (1643-1644) s'inspire — de loin — de l'histoire romaine.

---

16. Selon H.C. LANCASTER, de 1643 à 1648, on compte 36 tragédies contre 23 tragi-comédies.
17. Voir notre *Comédie avant Molière*.

Mais c'est surtout chez Rotrou que s'affirment des tendances nouvelles. Si *Célie* (1646), imitée de Delta Porta, reprend des motifs connus — calomnie d'un rival, fille déshonorée que son père poignarde, mais qui ne meurt pas, ce qui permettra un dénouement heureux —, il n'en va pas de même pour *Bélissaire* ou *Venceslas*. *Bélissaire* (1644), qui s'inspire d'une *comedia* de Mira de Amescua, est une tragi-comédie qui finit mal : le héros, après avoir à trois reprises échappé à la vengeance de Théodora, qu'il avait dédaignée jadis, est victime d'une accusation calomnieuse auprès de Justinien. *Venceslas* (1648), inspiré cette fois de Rojas, est également proche de la tragédie : la violence de Ladislas, sa méprise fatale — pensant tuer le ministre Frédéric, qu'il croit son rival, il assassine son propre frère —, le pardon et l'abdication de son père qui le sauve, tout rappelle la grandeur tragique, et certaines situations — l'amour de l'infante pour un homme d'un rang inférieur, le mariage de Cassandre avec le meurtrier de son amant — nous font penser à des scènes fameuses de P. Corneille.

La *comedia* espagnole a aussi fourni à Rotrou des sujets moins sombres. La malchance de Dom Lope qui, malgré les efforts répétés d'un ami, ne peut obtenir du roi la récompense de ses services, ainsi que ses déconvenues en amour rendent assez plaisantes certaines scènes de *Dom Bernard de Cabrère* (1647). Quant à *Dom Lope de Cardone* (1652), c'est un drame de cape et d'épée : le héros, qui risquait la mort pour s'être battu en duel pour la main de l'infante, obtient finalement son pardon, grâce à l'intervention de l'infant, qui, du coup, gagne le cœur de sa sœur. Sujets tragiques, comédie à tiroirs, drame de cape et d'épée, on voit que Rotrou, délaissant la tragi-comédie romanesque, a tenté avec succès de nouvelles formules.

C'est aussi probablement l'influence de la *comedia* qui a amené P. Corneille à écrire son *Dom Sanche d'Aragon* (1650). Malgré le romanesque du sujet — un soldat inconnu aimé de deux princesses, une reconnaissance finale qui révèle que le fils du pêcheur est en réalité le prince d'Aragon —, cette « comedie héroïque », en fait une véritable tragi-comédie, comporte d'admirables scènes et des morceaux de bravoure dont se souviendra l'auteur de *Ruy Blas*.

A côté de ces grands noms, d'autres écrivains, moins célèbres, ont aussi illustré le genre, et, chez eux aussi, on remarque parfois un effort pour renouveler les sujets et les thèmes. Baro avait donné en 1643 une *Clarimonde* fertile en péripéties dramatiques[18]. Il reprend ensuite quelques épisodes de l'histoire d'Apollonius de Tyr dans son *Prince fugitif* (1649) ; puis donne, avec *Cariste* (1651), une pièce romanesque, où l'on retrouve des motifs connus : l'héroïne, une inconnue dont s'est épris un prince sicilien, est accusée de sorcellerie par une rivale qui, prise de remords, combat pour elle dans un combat judiciaire. *L'Amante vindicative* (1652) nous montre encore une femme mal aimée, Oxane, dont la jalousie provoque des situations dramatiques — amants brouillés, fils manquant d'assassiner son père, puis se laissent condamner à mort de désespoir, suicide d'Oxane — avant l'heureux dénouement où les amants se réconcilient et le père pardonne.

Le roman contemporain fournit des sujets à plusieurs dramaturges. Si Guérin de Bouscal, dans son *Oroondate* (1645), utilise des épisodes du *Cassandre* de La Calprenède pour se moquer de la préciosité[19], Magnon tire du même roman les situations dramatiques du *Mariage d'Oroondate et de Statira* (1648). Une tragi-comédie anonyme, *La Juste vengeance*, s'inspire du *Polexandre* de Gomberville. Sallebray cherche dans un roman du début du siècle le sujet de son *Amante ennemie* (1642), où les poncifs romanesques gâchent malheureusement une situation qui rappelle *Le Cid*. Il tire également d'une nouvelle de Cervantès, qu'avait déjà utilisée Hardy, sa *Belle Egyptienne* (1642), intéressante par la peinture des mœurs des Bohémiens et pour les chansons et les danses qui agrémentent la pièce.

D'autres tragi-comédies s'inspirent de l'histoire. Autour du

18. Le héros, Alcandre, dispute au roi d'Alger la captive qu'on lui avait promise ; puis un rival l'accuse de desseins criminels pour le perdre ; mais Alcandre tue l'imposteur, prouve son innocence et obtient la belle.
19. La réserve excessive de ses héros y provoque de fâcheuses méprises.

personnage historique de la reine de Pologne Vanda, Gillet de
la Tessonerie compose une tragi-comédie de palais, *Sigismond
duc de Varsau* (1646), où un héros magnanime déjoue les
manœuvres des intrigants qui tentent de le perdre auprès de la
reine. L'année précédente, son curieux *Art de régner* dramati-
sait cinq épisodes — dont quatre historiques — pour illustrer
les qualités indispensables à un futur roi. Signalons aussi, de Le
Vert, *Aricidie* (1646), qui a pour sujet le premier mariage de
Titus, ou, de Prade, un *Annibal* (1649), où le retard du Cartha-
ginois à marcher sur Rome est motivé par des circonstances
bien romanesques.

DE LA FRONDE A 1666

Les désordres de la Fronde provoquent un déclin du théâtre
surtout de la tragédie, mais aussi des autres genres[20]. Après les
années difficiles, la tragi-comédie, sans atteindre la popularité
de la comédie, demeure encore un genre vigoureux : une vingtaine de pièces sont créées de 1652 à 1658. Le déclin va
commencer vers 1659-1660. La faveur du public va maintenant
à Molière, qui s'impose avec *Les Précieuses ridicules* ; à la
tragédie aussi, qui connaît un réveil éclatant avec le retour de
P. Corneille au théâtre et avec les créations de son frère
Thomas, de Boyer et de Quinault ; aux pièces à machines, dont
la vogue croissante, après le succès de *La Toison d'or*, en 1660,
contribue également au déclin de la tragi-comédie. Une
douzaine de pièces paraissent toutefois encore, de 1658 à 1666,
date à laquelle l'Hôtel de Bourgogne cesse de jouer ce genre de
pièces, et qui coïncide avec une chute notable de la production.
A côté des écrivains qui dominent cette période — Boisrobert,
Quinault, Boyer —, d'autres connaissent aussi quelques réussites : Chappuzeau, Gilbert, Catherine Desjardins notamment. Les tendances déjà remarquées à l'époque précédente se
retrouvent : persistance de la tragi-comédie romanesque avec

---

20. De 1648 à 1651, LANCASTER dénombre 6 tragédies seulement, pour une
dizaine de tragi-comédies et autant de comédies.

ses motifs habituels, influence de la *comedia* espagnole, sujets parfois pris à l'histoire, en particulier à l'histoire ancienne qu'on romance plus aisément.

Du Ryer donne sa dernière tragi-comédie en 1653 : *Anaxandre*, avec son prince captif aimé de deux filles de roi et les rivalités qui s'ensuivent, est une pièce romanesque qui rappelle *Cléomédon*. Plus intéressant est *L'Ecolier de Salamanque* (1654), où Scarron, s'inspirant d'une *comedia* de Rojas, développe allégrement les conflits de l'amour et de l'honneur : le respect de la parole donnée oblige un comte à protéger Dom Pèdre, qui est l'amant de sa sœur et qui a tué son frère, tandis que Dom Pèdre est tenu par la reconnaissance à défendre ce même comte qui a séduit sa propre sœur — véritable drame de cape et d'épée, qu'égayent les propos facétieux du *gracioso* Crispin. L'autre tragi-comédie de Scarron, *Le Prince corsaire* (1658-1662), hélas ! retombe dans les poncifs du genre : on y voit une princesse éprise d'un inconnu, qui n'est pas le pirate dont il a pris le nom, mais un prince qu'elle pourra donc épouser, ce qu'on apprend après toutes sortes de péripéties invraisemblables. On s'étonne que le spirituel infirme ait pu écrire de pareilles niaiseries !

La *comedia* espagnole inspire à Boisrobert deux tragi-comédies. Dans *Cassandre, comtesse de Barcelone* (1653-1654), d'après Villegas, une double substitution d'enfants fait craindre à deux amants d'avoir des penchants incestueux : d'où des scènes pathétiques, auxquelles une reconnaissance *in extremis* mettra une fin heureuse. Dans une autre pièce, tirée cette fois de Calderon, *Les Coups d'Amour et de Fortune* (1655-1656), les mésaventures de Roger de Moncade, dont le dévouement pour Aurore, rivale de sa sœur pour le trône de Barcelone, est mal interprété, ainsi que les dilemmes d'Aurore, partagée entre son amour et la défiance, donnent lieu à des situations piquantes. Une troisième tragi-comédie de Boisrobert, *Théodore, reine de Hongrie,* est plus dramatique : une reine est accusée faussement d'inconduite par son beau-frère, qu'elle a repoussé ; son mari ordonne de la faire périr, mais l'exécuteur l'épargne, et, lorsque le roi, désabusé, déplore sa funeste décision, elle revient et pardonne à l'imposteur et au mari crédule.

Une poétesse lyonnaise, Françoise Pascal, outre deux farces, donne trois tragi-comédies intéressantes. S'inspirant du roman de J.-P. Camus, elle écrit d'abord un *Agathonphile martyr* (1655), où des éléments romanesques traditionnels — une femme éprise de son beau-fils et, repoussée, l'accusant devant son mari ; une jeune fille qu'on veut marier contre son gré, s'enfuyant avec son amant — se mêlent à un thème religieux : les amants persécutés et la belle-mère repentante se convertissent et sont mis à mort — rare exemple de tragi-comédie à fin tragique. *Endymion* (1657), tiré du roman de Gombauld, est un bel exemple de romanesque mythologique, avec sorcière, apparitions, amants métamorphosés en plantes, assomption finale du héros que Diane enlève dans les airs. Enfin Françoise Pascal dramatise un épisode du *Grand Cyrus* dans *Sésostris* (1661), tragi-comédie de palais dominée par le personnage d'Amasis, usurpateur repentant donnant sa fille et son trône à l'héritier légitime.

Il convient de signaler aussi, de Montauban, un *Seleucus*, sombre histoire de rivalités amoureuses et politiques, et *Le Comte de Hollande* (1654), dont le sujet — un roi risque de tuer ses propres enfants en voulant assassiner ceux de son ennemi — fait penser à *Héraclius* de Corneille. De Chappuzeau, citons un *Damon et Pythias* (1657), où l'amitié généreuse des deux héros leur vaut le pardon du tyran Denys et permet les mariages espérés, ainsi qu'*Armetzar* (1658), où l'on voit le fils de Tamerlan et celui du roi de Chine, épris chacun de la sœur de l'autre, préférer servir l'amour que leur patrie, choix révélateur d'une sensibilité nouvelle.

Mais le dramaturge le plus fécond de cette période est sans doute Quinault qui, de 1654 à 1662, donne au théâtre huit tragi-comédies. Après *La Généreuse Ingratitude*, « tragi-comédie pastorale » (1654-1656), qui, dans un cadre exotique (l'Algérie), reprend des motifs connus — fille travestie servant son amant volage, rivalités réelles ou supposées, triple mariage final —, Quinault s'abandonne tour à tour à des inspirations très différentes. C'est sous l'influence de la *comedia* espagnole qu'il compose, sur le même sujet que Boisrobert, ses *Coups de l'Amour et de la Fortune* (1655), puis un *Fantôme amoureux* (1656-1657) où, après Calderon, il nous montre le duc de Ferrare cédant finalement sa maîtresse à un rival, qu'il croyait avoir assassiné et prenait pour un fantôme. *Amalasonte* (1658), encore bien romanesque malgré son cadre historique, évoque les complots ourdis par Amalfrède et Clodésile pour séparer la reine Amalasonte du favori Théodat, complots qui se terminent par la mort de leurs auteurs et la justification du héros. La peinture des passions — amour, ambition, jalousie — et le *suspense* dramatique rendent cette pièce encore intéressante. Par contre, *le Feint Alcibiade* (1658), tiré d'une anecdote de Plutarque, avec son héroïne, Cléone, travestie pour reconquérir le volage Lisandre et aimée de sa rivale, reprend un thème aussi rebattu qu'invraisemblable. La caution d'Hérodote ne donne guère plus de vraisemblance au *Mariage de Cambyse* (1659), où l'on retrouve les substitutions d'enfants et la crainte d'unions incestueuses. Avec *Stratonice* (1660), Quinault revient à Plutarque, qui avait raconté l'histoire du roi Seleucus renonçant au trône et à l'amour en faveur de son fils Antiochus : les intrigues de l'ambitieuse Barsine, le sacrifice héroïque du roi, la timidité des amants, le *suspense* qui dure jusqu'au dénouement renouvellent un sujet que d'autres[21] avaient déjà mis au théâtre. On peut, en revanche, s'étonner du succès durable d'*Agrippa roi d'Albe* (1633), où la substitution du héros au défunt roi d'Albe, Tibérinus, entraîne une série de méprises. Malgré quelques réussites, le génie de Quinault n'était pas dans la tragi-comédie : c'est dans la tragédie et surtout dans la tragédie lyrique qu'il donnera sa pleine mesure.

A partir de 1660, le genre commence à décliner et les pièces sont moins nombreuses. Quelques noms et quelques œuvres méritent néanmoins d'être mentionnés. Passons sur le *Chresphonte* (1659), où Gilbert nous montre une héroïne, nouvelle Pénélope, lanternant ses prétendants et, après diverses péri-

---

21. GILLET DE LA TESSONERIE, BROSSE, DU FAYOT.

péties, épousant celui auquel elle est restée fidèle ; ou sur *Le Courtisan parfait*, du même auteur, où les épisodes mélodramatiques d'une rivalité amoureuse autour de la duchesse d'Urbin donnent à Gilbert l'occasion d'évoquer la vie d'une petite cour italienne. Plus dignes d'attention sont les deux tragi-comédies de Catherine Desjardins : *Manlius* (1662), transposition « galante » d'un épisode de Tite-Live — Torquatus, poussé par la jalousie plus que par son sens du devoir, ferait périr son fils, s'il n'était touché par l'héroïsme de celui-ci — ; et surtout *Le Favori* (1665), inspiré de Tirso de Molina, où la disgrâce momentanée du héros lui permet d'éprouver la sincérité de ses amis et de sa maîtresse. Molière, qui fit pour cette pièce un prologue en marquis ridicule, la joua avec succès.

Boyer, dont l'*Ulysse dans l'Ile de Circé* (1648) valait surtout pour ses effets de spectacle, revient à la tragi-comédie avec *Frédéric* (1659-1660) : une princesse sicilienne travestie, un père rival de son fils, mais lui laissant sa maîtresse et son trône, voilà des motifs bien rebattus dans cette pièce où la politique se mêle à l'amour. *Policrite* (1662), qui s'inspire d'un épisode du *Grand Cyrus*, illustre le conflit entre l'amour et l'inégalité sociale. Montfleury n'a écrit qu'une tragi-comédie, *Trasibule* (1664), œuvre assez médiocre, mais dont le sujet — le fils d'un roi assassiné, feignant la folie, complote contre l'usurpateur, qui veut forcer la veuve du défunt roi à l'épouser — rappelle singulièrement celui de *Hamlet*, analogie dûe probablement à une source commune, les *Histoires tragiques* de Belleforest.

Une adaptation italienne du fameux *Burlador de Sevilla*, de Tirso de Molina, inspire à Dorimond et à Villiers un *Festin de Pierre* (1659 et 1660), avant que Molière ne reprenne le sujet ; mais son *Dom Juan* (1666), où l'élément comique l'emporte le plus souvent sur le pathétique et le fantastique peut-il être considéré comme une tragi-comédie ? Par contre, la « comédie héroïque » de *Dom Garcie de Navarre* (1661) comporte bien des motifs traditionnels du genre — l'usurpateur Mauregat et son assassinat, la rivalité amoureuse de Sylve et de Garcie et le duel qui manque en résulter, le travesti d'Ignès qui provoque la jalousie du héros, la reconnaissance finale —, même si, aujourd'hui, on retient surtout la série de méprises qui provoquent les éclats du jaloux.

LE DÉCLIN ET LA DISPARITION DU GENRE (1666-1672)

Après 1666, la tragi-comédie décline. Alors que douze tragi-comédies avaient été jouées de 1659 à 1665, les six années qui suivent ne voient paraître que trois tragi-comédies — *Ptolomée* et *Antiochus*, en 1666, *Faramond*, en 1672 — et quatre « comédies héroïques ». L'emploi d'un autre terme montre bien le discrédit où est tombé le genre. Du reste, aucune tragi-comédie n'est jouée à l'Hôtel de Bourgogne après 1666. La faveur du public va maintenant aux comédies de Molière et à la tragédie qu'illustrent Th. Corneille, Quinault, Boyer et bientôt Racine. On peut penser aussi que la tragi-comédie subit la même crise que le roman héroïque, dont elle s'était si souvent inspirée. Le genre dramatique qui plaisait par ses péripéties et ses coups de théâtre, s'efface devant la tragédie « simple » et concentrée sur la peinture des passions, comme le roman héroïque, aux personnages et aux aventures multiples, disparaît au profit de la nouvelle.

Des trois pièces appelées encore « tragi-comédies », qui paraissent dans cette période, seul est intéressant l'*Antiochus* de Th. Corneille, qui reprend adroitement un sujet connu — la rivalité d'un père et de son fils épris de la même femme —, sujet compliqué ici par une méprise due à une substitution de portrait. Dans *Ptolomée*, de l'obscur Charenton, on voit les rivalités sanglantes qui se développent autour de la fille de Lysimaque, s'achever par le mariage de la jeune fille avec le héros. Quant à *Faramond*, son auteur, Lapoujade, y tente l'entreprise impossible de réduire en une tragi-comédie l'interminable roman de son oncle La Calprenède. Signalons aussi que Rosimond fait jouer au Marais, en 1669, *Le Nouveau Festin de Pierre ou l'Athée foudroyé*, où il imite ceux qui, avant lui, ont traité la légende de Dom Juan.

Mais on écrit maintenant des « comédies héroïques ». La

première, *Policrate* (1670), de Boyer, nous montre le fameux tyran de Samos, épris de la fille de son ministre, mais pensant aussi à une princesse étrangère, qui finira par épouser son frère Tyridate, — allusions transparentes, sous le récit d'Hérodote, aux amours du jeune Louis XIV. P. Corneille, lui aussi, altère notablement la vérité historique : son goût pour les pièces « implexes » lui fait compliquer la touchante aventure de *Tite et Bérénice* (1671) par l'intervention du personnage de l'ambitieuse Domitie, et son éthique héroïque lui inspire un dénouement peu conforme à l'histoire : c'est Bérénice qui, sa gloire satisfaite par le consentement du Sénat à son mariage avec Titus, renonce d'elle-même à épouser l'empereur. La même morale inhumaine fera refuser à l'héroïne de *Pulchérie* (1673) d'épouser Léon, qu'elle aime, — mais à qui elle donnera du moins une épouse de son choix —, pour agréer le vieux Martian, dont la passion tardive inspire à Corneille des accents bien émouvants. Nanteuil, enfin, dans sa *Fille vice-roi* (1672), adapte au théâtre une aventure romanesque que Scarron avait contée dans une nouvelle du *Roman comique*, *Le Juge de sa propre cause*.

En fait, même si, dans les pièces de Boyer, de Corneille ou de Nanteuil, il s'agit toujours d'amours aristocratiques contrariées, mais qui se terminent heureusement, la concentration de l'intrigue — dans *La Fille vice-roi*, toutes les aventures de l'héroïne (rapt, captivité chez les Barbaresques, exploits guerriers sous un travesti), que Scarron narrait longuement, font l'objet d'un simple récit —, ainsi que l'intérêt porté aux problèmes psychologiques et moraux rendent ces comédies héroïques très différentes de la tragi-comédie traditionnelle.

L'histoire de la tragi-comédie peut donc s'arrêter en 1672, puisqu'après cette date, le genre disparaît pratiquement au profit d'autres formes dramatiques, comédie, tragédie, pièces à machines et opéra. Remarquons cependant que, même si on n'écrit plus guère de tragi-comédies, le goût pour le romanesque, qui avait fait la fortune du genre, ne disparaît pas pour autant, et que les motifs et les thèmes chers aux auteurs de tragi-comédies se retrouvent parfois dans la tragédie. *Le Fils*

supposé (1672), de Boyer, s'intitule bien tragédie, mais son
prince de naissance inconnue, le risque d'union incestueuse et
le dénouement heureux rappellent fort des motifs du genre
disparu, et le *Théodat* (1673) de Th. Corneille ne diffère que
par sa fin tragique — l'héroïne y meurt — de l'*Amalasonte* de
Quinault. Au XVIIIe siècle encore, *Le Triomphe de l'Amour*, de
Marivaux (1732), avec son histoire de trône usurpé et restitué à
l'héritier légitime, et son travesti masculin, qui abuse la fière
Léontine, mais sous lequel Hermocrate devine le sexe de
l'héroïne, n'est pas sans nous faire penser à certaines scènes de
Sésostris ou de *Cléagénor*. Et Nivelle de la Chaussée appellera
à juste titre tragi-comédie sa *Princesse de Sidon*, où l'aventure
de son héros, Tancrède, qui, croyant son épouse infidèle, a
donné l'ordre de la faire périr, et qui, lorsqu'il est détrompé,
est heureux de la retrouver vivante, reprend un sujet qu'avaient
traité avant lui La Caze et Boisrobert. Néanmoins, c'est vers la
comédie ou la tragédie que se tournent les nouveaux auteurs
dans ce dernier tiers du XVIIe siècle. Le genre est désormais bien
oublié, pour plus d'un siècle du moins ; mais les péripéties
dramatiques et les rebondissements inattendus, le mélange du
comique et du tragique, les scènes spectaculaires et les tirades
pathétiques, qui avaient fait son succès auprès d'un public
populaire, reviendront sur le théâtre avec le drame romantique.

CHAPITRE II

Morphologie

Malgré le nombre important des œuvres — plus de 200 —, malgré aussi la diversité des sources — romans grecs, chevaleresques, sentimentaux ou « héroïques » ; histoire ancienne ou moderne ; poèmes de l'Arioste et du Tasse ; nouvelles espagnoles et italiennes, etc. —, il est aisé de constater que la plupart des intrigues reprennent, avec quelques variantes, un petit nombre de sujets ; mieux, que les mêmes situations se répètent indéfiniment d'une pièce à l'autre, d'une façon beaucoup plus systématique que dans la tragédie ou dans la comédie contemporaines.

LES PRINCIPAUX TYPES D'INTRIGUES

Une des formes les plus fréquentes, des plus anciennes aussi et qui fait clairement apparaître la parenté du genre avec le roman, est *la tragi-comédie d'aventures.* Au lieu de se borner à représenter une crise — par exemple, l'obstacle que constitue, pour un couple d'amants, l'opposition d'un père, la tyrannie d'un prince, ou les manœuvres d'un rival —, crise dont la solution, généralement heureuse, mettrait fin à la pièce, certains auteurs de tragi-comédies multiplient les péripéties et les coups de théâtre. A peine les héros ont-ils réussi à surmonter un obstacle qu'une nouvelle difficulté surgit, qu'il faudra vaincre à son tour. En même temps, l'action se transporte dans des lieux divers, propres à susciter de nouvelles aventures, et de nouveaux personnages apparaissent, qui viennent tour à tour contrarier les desseins des protagonistes. Cette forme de tragi-comédie, très proche des romans contemporains — romans « sentimentaux » du début du siècle, où contraintes familiales, séparations, voyages sur mer avec naufrages et pirates, combats, rapts contrarient les amours de deux jeunes gens[1] ; romans « héroïques », où la quête de la femme aimée oblige l'amant à affronter toutes sortes d'épreuves et de périls[2] —, était fort prisée d'un public avide d'aventures surprenantes et de péripéties renouvelées qui le tiennent constamment en haleine, goût « baroque » que Scudéry exprimait assez bien dans la Préface d'*Andromire* (1641) :

> « Il est bien difficile qu'une action toute nue..., sans épisodes et sans incidents imprévus, puisse avoir autant de grâce que celle qui, dans chaque scène, montre quelque chose de nouveau, qui tient toujours l'esprit suspendu, et qui, par cent moyens surprenants, arrive insensiblement à sa fin. »

La pièce de Hardy, *Théagène et Cariclée,* qui dramatise en huit « journées » de cinq actes chacune les principaux épisodes du roman d'Héliodore, est un exemple remarquable de cette conception de la tragi-comédie. On y suit les héros à travers une série impressionnante d'aventures. Après s'être enfuis de Delphes, où l'on veut marier l'héroïne contre son gré, les deux amants font naufrage et sont capturés par des pirates qui se disputent Cariclée ; délivrés de leurs premiers agresseurs, ils tombent entre les mains d'autres brigands, dont le chef s'éprend de la jeune fille ; vaincu au cours d'un combat, il veut la poignarder, mais il en tue une autre. C'est alors Théagène, qui est pris par les soldats de l'Egyptien Orondate, dont la femme tombe amoureuse du captif ; comme il la repousse, elle le fait emprisonner. Les deux amants sont ensuite capturés par les soldats d'Hydaspe, le roi d'Ethiopie, qui les immolerait aux dieux, s'il ne découvrait opportunément que Cariclée est sa propre fille et que Théagène est un prince thessalien, qui peut ainsi épouser sa maîtresse. On voit, par ce bref aperçu — et nous avons omis plusieurs péripéties ! —, que, dans cette forme de tragi-comédie, une histoire romanesque, fertile en aven-

---

1. Voir G. REYNIER, *Le Roman sentimental avant l'Astrée.*
2. Voir M. MAGENDIE, *Le Roman français au XVIIe siècle de l'Astrée au Grand Cyrus.*

tures, est représentée *ab ovo,* en une succession d'épisodes, dont la seule unité est l'intérêt que nous prenons pour les protagonistes.

Théagène et Cariclée, avec ses huit journées et ses quarante actes, a une longueur exceptionnelle. Mais, des pièces en cinq actes peuvent aussi accumuler des péripéties multiples. Ainsi, la *Félismène* du même Hardy nous fait assiter aux aventures d'une jeune fille qui, laissée par son amant, le suit, travestie en page, d'Espagne en Allemagne. Là-bas, le volage Dom Félix s'éprend d'une autre femme, Célie, qui ne répond pas à son amour, mais tombe amoureuse du jeune page! Comme « il » repousse ses avances, elle meurt de douleur. Après encore d'autres péripéties, on retrouve l'héroïne devenue bergère, qui sauve son amant d'un guet-apens. Bien entendu, le volage Dom Félix l'épousera au dénouement. Voilà bien des aventures pour cinq actes, où Hardy a concentré les épisodes romanesques d'un chapitre de la *Diane* de Montemayor.

Cette forme un peu archaïque de la tragi-comédie qui, faisant fi de la concentration dramatique, se contente de dramatiser les épisodes successifs d'un roman, séduira encore les spectateurs des années trente. Un autre roman grec, *Leucippé et Clitophon,* attribué à Achille Tatius, inspire à Du Ryer une pièce étonnante. Ici encore, deux amants persécutés s'enfuient de Syrie en Egypte, où ils sont capturés par des pirates qui veulent les immoler aux dieux. Lucipe échappe à la mort grâce à un subterfuge — le sacrificateur perce une outre de sang, au lieu d'éventrer la jeune fille —, tandis que Clitophon est sauvé par le roi d'Alexandrie, Charmide. Naturellement, ce dernier s'éprend de Lucipe, mais il meurt à temps, dans un combat. Lucipe est alors enlevée en bateau ; son amant part à la poursuite du ravisseur qui, pour arrêter ses poursuivants, décapite une jeune femme, dont il jette le corps à la mer[3]. Clitophon, qui croyait sa maîtresse morte, la retrouve à Ephèse, au service d'une riche veuve, qui s'éprend de Clitophon. Mais le mari, qu'on croyait disparu, revient et fait

---

3. La scène est ici seulement racontée et non représentée sur scène.

arrêter notre héros. Clitophon va être condamné à mort, quand l'arrivée de sa maîtresse et du père de celle-ci permet sa justification et le mariage des amants. Là encore, l'intérêt du spectateur est entretenu par une succession ininterrompue de péripéties variées, qui mettent en péril la vie ou le bonheur des deux protagonistes[4].

Lorsque le dramaturge ne met pas bout à bout une série de péripéties, il représente simultanément plusieurs intrigues parallèles. Ainsi, dans *Tyr et Sidon*, Jean de Schelandre nous transporte alternativement dans l'une ou l'autre de ces villes, soit qu'il développe l'aventure galante de Léonte et de Philoline, soit qu'il nous montre les amours contrariées de Belcar et de Méliane. *Les Occasions perdues* et *L'Heureuse Constance* de Rotrou déroulent aussi simultanément plusieurs intrigues, tandis que Mairet, dans son *Roland furieux*, fait alterner l'idylle entre Médor et Angélique, les accès de démence de Roland et l'histoire tragique de Zerbin et Isabelle. Ce ne sont là, au fond, que des variantes de la tragi-comédie d'aventures, qui témoignent encore du goût des contemporains pour les intrigues complexes, remplies d'événements imprévus et de péripéties toujours renouvelées.

Une autre forme de tragi-comédie, sans doute la plus fréquente, qu'on pourrait appeler *la tragi-comédie des amours*

---

4. On pourrait citer encore, du même DU RYER, *Argénis et Poliarque,* dont le héros, au cours des deux journées de la pièce, doit éliminer plusieurs rivaux pour pouvoir enfin épouser Argénis ; ou *Lisandre et Caliste,* où des obstacles variés — duel, assassinat, poursuites judiciaires, arrestation de l'héroïne, opposition d'un père, rivale, etc. — contrarient les amours des jeunes gens jusqu'à l'heureux dénouement. Il faudrait mentionner aussi d'autres dramaturges comme A. MARESCHAL, dont la *Généreuse Allemande* finit par reconquérir un amant volage au terme de multiples aventures, auteur également de la *Sœur valeureuse,* où rivalités amoureuses, travestis, méprises, duels et assassinats s'accumulent dans une intrigue impossible à résumer. Plusieurs tragi-comédies de ROTROU sont aussi de ce type : dans *Agésilan de Colchos,* qui s'inspire des aventures romanesques de l'*Amadis,* une double intrigue amoureuse est corsée de plusieurs combats singuliers ; dans *Cléagénor et Doristée,* l'héroïne est deux fois enlevée, presque violée, tombe aux mains de voleurs, s'échappe et sous son travesti masculin, est courtisée à la fois par un mari, sa femme et la suivante, avant de retrouver son amant !

contrariées, au lieu d'éparpiller l'action en une succession d'épisodes variés, se limite à l'obstacle majeur qui s'oppose au bonheur d'un couple d'amants. Les sujets ressemblent à ceux de la tragi-comédie d'aventures, mais, ici, l'accent est mis sur les amants et sur leurs réactions devant les persécutions dont ils sont l'objet. L'intrigue gagne donc en concentration, en même temps que croît l'intérêt psychologique.

Les obstacles qui contrarient les amours des jeunes gens sont variés. Tantôt ce sont des circonstances extérieures, guerres ou haines familiales, qui séparent les amants. *Phraarte,* de Hardy, nous montre deux amants, un prince macédonien et une princesse thrace, séparés par la guerre qui éclate entre les deux pays. *Le Prince déguisé,* de Scudéry, est un bon exemple de haine familiale contrariant l'amour de deux jeunes gens[5]. C'est de même une querelle familiale et le meurtre qui l'a suivie, qui constituent l'obstacle qui séparera, au moins pendant un délai convenable, Rodrigue et Chimène.

Ailleurs et c'est le cas le plus fréquent, rivaux ou rivales viennent contrecarrer l'amour des protagonistes. Dans *Le Trompeur puni,* de Scudéry, les artifices de Cléonte brouillent un temps Arsidor et Nérée. Parfois même, le rival malheureux essaie de tuer celui qu'on lui préfère : au début de *Clitandre,* on voit Pymante tenter d'assassiner Rosidor. Les rivaux malfaisants ou criminels ne manquent pas, de Rotrou *(L'Heureuse Constance, Célie)* à Scudéry *(Orante, L'Amour tyrannique),* de Du Ryer *(Argénis, Clitophon)* à Quinault *(Les Coups de l'Amour et de la Fortune, Amalasonte).* Mais ce sont surtout les femmes jalouses, dont la haine s'acharne contre les amants heureux. La *Madonte,* d'Auvray, nous en fournit un exemple remarquable : Lériane, repoussée par Damon, réussit d'abord à le brouiller avec Madonte, sa maîtresse, en lui faisant croire

---

5. Le prince de Naples, Cléarque, s'étant vu refuser par le roi de Sicile la main de sa fille Argénie, les troupes napolitaines ont attaqué les Siciliens, dont le roi meurt pendant le conflit ; sa veuve, Rosemonde, qui tient Cléarque pour responsable de sa mort, jure de donner sa fille à celui qui lui apportera la tête du prince. Malgré la trahison d'une rivale, l'amour des deux jeunes gens attendrira la reine, qui pardonnera à Cléarque et l'unira à sa fille.

qu'elle en aime un autre ; puis Lériane tente de perdre sa rivale, en l'accusant d'inconduite, grâce à une substitution machiavélique. Lériane n'est pas un cas isolé et nombreuses sont, dans la tragi-comédie, les jalouses qui tentent de perdre leur rivale ou « l'ingrat » qui les a dédaignées.

Parfois aussi, c'est l'opposition des parents qui met à l'épreuve l'amour des jeunes gens. Dans *Laure persécutée*, de Rotrou, comme dans *Cariste*, de Baro, un roi essaie par tous les moyens de rompre la liaison de son fils avec une jeune fille, qu'on croit d'humble extraction. C'est seulement au dénouement qu'une explication entre les amants et la découverte du rang princier de la jeune fille permettent le mariage des amants.

Si Dorinde, avec ses évasions, ses poursuites, ses combats, nous fait encore penser à la tragi-comédie d'aventures, l'intrigue de *Laure persécutée*, moins dispersée, se déroulant dans le palais d'un roi et dans la maison de l'héroïne, faisant intervenir des préoccupations dynastiques, se rapproche d'une autre forme de tragi-comédie qui se développe surtout après 1640, *la tragi-comédie de palais*. Se soumettant aux exigences classiques d'unité et de concentration dramatique, réalisées dans la tragédie, la tragi-comédie renonce maintenant à l'éparpillement de l'intrigue en une série d'épisodes successifs, ainsi qu'à la dispersion de l'action en différents lieux. De plus, comme à pareille époque pour le roman, on s'intéresse davantage à l'histoire, à laquelle les dramaturges emprunteront souvent des sujets. Dans beaucoup de pièces, une action dramatique resserrée, où n'interviennent qu'un petit nombre de personnages, va mêler les problèmes politiques au thème traditionnel des amours contrariées.

Le sujet de ces tragi-comédies de palais sera parfois l'élimination d'un usurpateur et d'un tyran. De ce type était déjà la pièce de Du Ryer, *Arétaphile*[6]. La pièce, avec tous ces épisodes

---

6. L'héroïne, qui a été contrainte d'épouser l'assassin de son père, l'usurpateur Nicocrate, tente d'abord sans succès de l'empoisonner ; mais le tyran est

successifs, manque encore d'unité ; mais toutes les péripéties se rattachent au sujet central — le tyran à éliminer — et l'auteur s'intéresse quelque peu à la psychologie des personnages, en particulier à celle de Nicocrate, amoureux de l'épouse qui a voulu l'assassiner. Mais on est encore loin de la *Mariamne* de Tristan ! Il y a plus de rigueur et de concentration dans le *Téléphonte* de Gilbert — où un autre usurpateur, assassin du roi légitime dont il veut épouser la veuve et faire périr le fils, est poignardé par le prince, revenu incognito —, ou dans le *Trasibule*, de Montfleury, qui traite un sujet voisin.

D'autres tragi-comédies représentent les manœuvres d'intrigants ou d'envieux pour perdre le favori du prince. Ainsi, dans *Edouard*, de La Calprenède, on assiste aux efforts de Mortimer et de la reine-mère pour compromettre Elips, dont le roi s'est épris. Parfois, ces manœuvres réussissent : dans le *Bélissaire* de Rotrou, si le héros échappe à quatre tentatives d'assassinat grâce à sa bonne fortune, les accusations calomnieuses de l'impératrice Théodora sont fatales au favori. Théodat sera plus heureux, qui, dans l'*Amalasonte* de Quinault, réussit à se sauver des machinations de l'ambitieux Clodésile et de sa sœur Amalfrède. Le rôle prépondérant du personnage central — Elips, Bélissaire, Théodat — et de ses adversaires — Mortimer, Théodora, Amalfrède —, dont toutes les tentatives visent à perdre le favori, donne une certaine unité à ces tragi-comédies ; mais, si leurs auteurs évitent la dispersion des tragi-comédies d'aventures, ils n'évitent pas toujours l'écueil de la « pièce à tiroirs », en faisant se succéder autant de machinations qu'il en faut pour remplir les cinq actes.

Tragi-comédies d'aventures, tragi-comédies sentimentales des amours contrariées, tragi-comédies de palais — ce sont là d'ailleurs des distinctions bien artificielles. *Tyr et Sidon*, où deux rois se disputent l'hégémonie, où l'action, multiple, nous transporte d'une ville à l'autre, d'un palais à une demeure privée, du rivage au champ de bataille, où un mari jaloux fait

---

assassiné, comme il allait rejoindre sa belle-sœur, dont il est épris ; le frère du défunt, Cléandre, prend alors le pouvoir, que lui arrache facilement Philarque, l'amant d'Arétaphile et l'héritier légitime du trône.

assassiner l'amant de sa femme, tandis qu'une rivale tente d'ôter un amant à sa sœur, est-elle une tragi-comédie politique, d'aventures ou sentimentale ? *Madonte*, pièce des amours contrariées, n'est-elle pas aussi, avec ses nombreuses péripéties — amants brouillés, duel, suicide, calomnie, duel judiciaire, guet-apens, rescousse — une véritable tragi-comédie d'aventures ? Des pièces comme *Dorinde* ou *Antiochus*, où un roi est le rival de son fils, sont-elles à ranger dans les tragi-comédies politiques ou sentimentales ?

En fait, aventures, politique, passion se retrouvent peu ou prou dans toutes les œuvres, où, selon le sujet traité, elles prennent plus ou moins d'importance respective. Retenons surtout que, sous l'influence des théoriciens du classicisme, la concentration dramatique l'emporte peu à peu sur l'abondance des péripéties et des épisodes. Plutôt que de classer, selon leurs thèmes, les tragi-comédies en pièces sentimentales ou de palais, d'aventures ou domestiques, il nous a semblé plus intéressant de répertorier les situations qui reviennent régulièrement et selon un ordre à peu près immuable dans nos tragi-comédies. Nous avons donc fait un inventaire de ces situations typiques, que nous présentons dans l'ordre où elles apparaissent, en constatant, selon les pièces envisagées, l'absence significative de certaines d'entre elles, ainsi que les variantes qu'y apportent les dramaturges ; bref, nous avons tenté d'établir ainsi une sorte de morphologie de la tragi-comédie.

Si, dans les pièces, plus « classiques », représentant une « crise », l'amour existe déjà entre les protagonistes, quand l'action commence — citons *Laure persécutée, Edouard, Cariste, Théodore* —, beaucoup de tragi-comédies des années 1630, qui aiment à raconter une histoire *ab ovo,* nous font assister à la *naissance de l'amour.*

L'amour naît immédiatement chez les hommes, dès la première apparition de la jeune fille : c'est le coup de foudre. En veut-on quelques exemples ? En voici quelques-uns, pris chez Rotrou. Dans l'*Heureuse Constance,* le roi de Hongrie,

venu attendre la reine dalmate qu'il doit épouser, aperçoit
Rosélie, habillée en villageoise : il en tombe immédiatement
amoureux (I, 2). Un autre roi hongrois, celui de *Laure persécutée,* s'éprend avec la même soudaineté de la maîtresse de
son fils, qui s'est présentée à lui sous un nom d'emprunt[7] :

> « — Ah ! comte, de quels traits de lumière et de flamme
> Je sens percer mon cœur ! » (II, 5).

Les femmes sont également inflammables : la Cléonice de
L'Hypocondriaque, délivrée par Cloridan de deux hommes qui
lui faisaient violence, s'éprend tout de suite de son sauveur :

> « — Un instant me surmonte et t'acquiert une amante. »

Parfois, plusieurs hommes tombent à la fois sous le charme.
Dans *L'Amant libéral,* de Scudéry, lorsqu'un marchand juif
présente sa belle captive aux bachas turcs et au cadi de Nicosie,
tous trois sont éblouis :

> HAZAN. —   « O merveille adorable !
> HALI. — Le sérail du sultan n'a rien de comparable.
> IBRAHIM. — L'éclat de ce visage éblouit ma raison » (II, 3).

Ces effets foudroyants de la beauté féminine sont plus
grands encore dans *Célie,* où, lors d'un combat de taureaux,
tous les hommes de l'assistance sont séduits par le charme de
deux sœurs (I, 1) :

> « — ... deux sœurs, vives sources de flammes,
> Deux vivantes prisons des libertés des âmes,
> D'un offusquant éclair, de rayons éclatants,
> Eblouirent les yeux de tous les assistants...
> Ce spectacle animé de grâce et de beauté
> Aux plus indifférents ravit la liberté,
> Dans les cœurs les plus froids mit des flammes secrètes,
> Interdit les esprits, tint les langues muettes,
> Et fit à tous les yeux perdre le mouvement
> Pour les laisser ouverts en ce ravissement. »

---

7. Orantée voulait, par ce stratagème, prouver à son père que Laure était
belle et méritait l'amour qu'il a pour elle.

Point n'est besoin de la présence de la jeune fille pour que nos galants en tombent amoureux. Dans la tragi-comédie comme dans le roman contemporain[8], la simple vue du portrait de la belle suffit à provoquer l'amour. Déjà, dans la *Sylvie* de Mairet, le prince Florestan s'enflammait ainsi pour Meliphile. Un héros de Rotrou, Agésilan, apercevant entre les mains d'un chevalier blessé le portrait de Diane, prend feu lui aussi (*Agésilan de Colchos,* I, 2) :

> « — Je me sens consumer d'une invisible ardeur,
> Qui tout d'un coup attaque et consume mon cœur[9] ».

Mais il n'est pas toujours facile d'approcher ces belles princesses qui enflamment ainsi les cœurs, d'autant que d'autres obstacles — haines familiales, rival tout-puissant, etc. — empêchent souvent l'amant de se déclarer ouvertement. Aussi les galants cherchent-ils volontiers à *s'introduire auprès de leur belle* grâce à un déguisement. C'est une nécessité pour Cléarque, prince napolitain, dont la tête a été mise à prix par la reine de Sicile, s'il veut approcher sa fille, dont il est amoureux : il s'introduit sous l'habit de jardinier dans le palais où habite la belle, étonnée de trouver tant de grâce et d'esprit « sous un habit rustique » (*Le Prince déguisé,* II, 5). Le prince Alcandre, lui, se déguise en marchand pour voir Rosélie qu'il croit infidèle (*L'Heureuse Constance,* V, 2).

Plus piquant est le travesti en femme auquel recourent plusieurs galants. *L'Astrée* donnait déjà plusieurs exemples de jeunes gens qui se faisaient passer pour filles afin d'approcher leur belle. De la même façon, le roi de France Poliarque se fait engager comme servante par Argénis. Dans *Agésilan de Colchos,* un valet conseille à son maître d'employer le même moyen pour se faire aimer de Diane et de même, le prince de la

---

8. Dans le *Polexandre,* de GOMBERVILLE, Almanzor s'éprend d'Alcidiane en voyant son portrait sur l'écu d'un adversaire.

9. Voir aussi *La Fidèle Tromperie,* de GOUGENOT, qui s'inspire aussi de l'*Amadis* (XI-XII). De même, dans l'*Argénis et Poliarque,* de DU RYER, le roi de France s'éprend d'une princesse sicilienne à la vue de son portrait et quitte son royaume pour s'en faire aimer !

Fidèle Tromperie se fait passer pour une cousine, afin de se faire admettre chez Alderine et gagner son affection[10].

Il arrive aussi aux jeunes filles de se travestir et de prendre un habit masculin ; mais c'est plutôt pour se lancer à la poursuite d'un volage qu'elles veulent reconquérir. Si elles souhaitent séduire quelque beau cavalier, elles ont recours à la substitution et prennent la place de celle que le galant comptait rencontrer. Le subterfuge ne réussit guère à Cassandre qui, dans *Tyr et Sidon,* se substitue à sa sœur Méliane sur le navire dans lequel Belcar s'est échappé. Lorsqu'une fois au large, elle se présente à lui :

« — Me voici devant toi, qui désire à ce jour
Gagner d'un coup du sort ou la mort ou l'amour. »,

Belcar, furieux, saute dans une barque et s'éloigne, si bien que la malheureuse Cassandre n'a plus qu'à se poignarder (II, V, I). D'autres sont plus heureuses. Dans *L'infidèle Confidente,* de Pichou, Céphalie, qui s'est substituée à Lorise, la maîtresse de Lisanor, réussit à séduire celui-ci ; et, dans l'*Agarite,* de Durval, Amélise, qui s'est mise à la place de l'héroïne — ou plutôt de sa statue — gagne ainsi l'amour du roi[11].

10. Le travesti ne peut durer qu'un temps. Le galant qui, sous son costume féminin, a gagné la sympathie de la jeune fille, est bien obligé, finalement, de dire qui il est, ce qui provoque la colère — momentanée — de la belle. Ainsi, lorsque Agésilan révèle son identité (IV, 2) :
« — Je suis amant et prince »,
Diane s'emporte :
« — Traître et lâche affronteur, dont l'impudente audace
Ne peut être égalée (...),
mon affection,
Convertie en fureur, change comme ton nom.
Excuse, ni raison ne me peut satisfaire » ;
et elle le congédie :
« — Qu'il ne t'arrive plus de paraître à mes yeux. »
Agésilan s'évanouit, mais Diane, touchée, le laisse espérer. De la même façon, Alderine ou Argénis, d'abord courroucées, pardonnent leur supercherie à Armidore ou à Poliarque.
11. Des hommes emploient le même stratagème. Dans *Pyrandre et Lisimène,* Pyroxène est épris d'Orante, princesse d'Albanie, qui est elle-même amoureuse de Pyrandre. D'accord avec ce dernier, Pyroxène se rend à sa place au rendez-vous que lui a donné la princesse. Pyrandre est accusé d'avoir séduit la jeune fille et emprisonné ; mais tout finit par s'arranger et Orante épousera Pyroxène.

Il ne suffit pas d'approcher, sous un déguisement ou non, la personne aimée pour obtenir son cœur. Si la belle est sensible à la bonne mine et à la distinction du galant, celui-ci doit se rendre digne d'elle par quelque exploit ou quelque action généreuse. Ainsi, c'est en vainquant au combat Florisel, « l'empereur de Grèce », qui a jadis abandonné Sidonie, la « reine de Guindaye », que plusieurs chevaliers espèrent obtenir la main de sa fille, la belle Diane, et Agésilan, qui avait d'abord gagné la sympathie de la jeune fille sous un travesti féminin, ne l'obtiendra pour femme qu'en livrant Florisel à la reine. C'est la victoire qu'il a remportée sur l'envahisseur qui permet à Cléomédon, le héros d'une tragi-comédie de Du Ryer, d'espérer obtenir la main de la princesse Célanire. C'est encore par leurs exploits qu'Eurimédon, « l'illustre pirate » de Desfontaines, Roger de Moncade, le héros des *Coups de l'Amour et de la Fortune,* de Quinault, ou encore l'aventurier Carlos — en réalité, le prince Dom Sanche d'Aragon — se font aimer des princesses dont ils sont épris.

Cette conduite est celle des galants chevaleresques. D'autres recourent à des procédés moins nobles pour tenter de se faire aimer ou pour « avoir » celle qu'ils désirent. Ne pouvant réussir à plaire, ils emploient la force brutale. Nombreux sont, dans la tragi-comédie, ces mal-aimés qui essaient de violenter les belles qui leur résistent. Dans l'*Aristoclée* de Hardy, le brutal Straton tente d'arracher l'héroïne à son époux le jour même de son mariage et la malheureuse meurt dans l'échauffourée. Dans *Clitandre,* Pymante, repoussé par Dorise, veut la prendre de force (IV, 1) :

> PYMANTE. « — Il me faut des faveurs, malgré vos cruautés...
> Je ris de vos refus, et sais trop la licence
> Que me donne l'amour en cette occassion. »

Heureusement un sauveur providentiel arrive généralement à temps pour arracher la jeune fille des mains de son agresseur. Dans *L'Hypocondriaque,* Lisidor, pensant que les mépris de Cléonice l'autorisent à employer la violence, va forcer l'insensible, aidé d'un ami, lorsque Cloridan survient opportunément et tue Lisidor et son complice (II, 2). Même scénario dans *Cléagénor et Doristée,* où Ozanor, repoussé par Doristée, veut la prendre de force ; Cléagénor accourt aux cris de la jeune fille et tue son agresseur. La scène, qui se corse d'une reconnaissance — le sauveur de Doristée est précisément son amant qui la cherchait depuis plusieurs mois ! — est particulièrement dramatique (I, 3) :

> DORISTÉE. « — Ton esprit, indulgent à tes sales désirs,
> Ne peut être touché de pleurs ni de soupirs.
> OZANOR. — C'est trop délibérer, et ton ingratitude
> Tient mes timides sens sous une loi trop rude.
> Inhumaine, un mépris si sensible et si fort
> Fait de la violence un légitime effort ;
> Je ne respecterai plaintes, soupirs ni larmes :
> Leur pouvoir est moins fort que celui de tes charmes.
> DORISTÉE. — O Ciel ! O Dieux cruels !
> OZANOR.   — Rien ne peut divertir,
> En l'état où je suis...
> CLÉAGÉNOR (allant à lui, l'épée à la main). — Ton juste
> [repentir
> Que les dieux irrités...
> OZANOR (tombant).   — O funeste aventure !
> CLÉAGÉNOR. — T'envoyent par ma main, horreur de la nature !
> Et puisque son honneur dépend de ton trépas...
> OZANOR. — Je meurs, et les enfers s'ouvrent dessous mes pas.
> O destins inhumains !
> DORISTÉE.   — O rencontre propice,
> Où le Ciel au besoin témoigne sa justice !
> Généreux cavalier ! Dieux ! c'est Cléagénor.
> CLÉAGÉNOR. — Beaux astres de mes jours, je vous revois encor,
> Je revois Doristée. »

D'autres mal aimés se servent du pouvoir que leur donne leur rang pour tenter de fléchir celle qui se refuse. Ainsi le roi burgonde Gondebaut, persuadé que Chryséide se laissera séduire par l'offre de la couronne (*Chryséide et Arimand,* II, 2) :

> « — Lorsqu'elle se verra la tête couronnée
> Et d'éclat, comme moi, pompeuse environnée,
> Que tout lui fera joug, et que sur ses habits
> Luiront les diamants avecque les rubis,
> Il faudra que son cœur soit plus froid que la glace,
> Si l'amitié pour moi n'y trouve point de place. »

Mais Chryséide restera fidèle à Arimand, à qui Gondebaut finira par l'accorder. Le même Gondebaut est plus brutal dans la *Dorinde* d'Auvray : il retient la jeune fille prisonnière, puis, après sa fuite, envoie des soldats à sa recherche et met le siège devant Marcilly, où elle s'est réfugiée.

Cette forme de violence est mise en scène de façon spectaculaire dans la tragi-comédie d'*Eudoxe*, de Scudéry, qui, comme les pièces précédentes, s'inspire d'un épisode de *L'Astrée*. L'héroïne, veuve de deux empereurs romains, a été emmenée à Carthage par le roi Vandale Genséric, qui s'est épris d'elle et veut la contraindre à l'épouser. Il use d'abord de la menace (II, 3) :

« — Si vous ne vous portez à m'être moins cruelle,
Si vous ne recevez une ardeur mutuelle,
Si vous ne recevez un sceptre tant offert,
Je vaincrai par la force un orgueil qui me perd.
Madame, songez-y sans tarder davantage,
Car je suis Genséric et je suis à Carthage. »

Comme Euxode ne se laisse pas émouvoir et lui refuse sa porte, quand il revient, le Vandale lui adresse un véritable ultimatum (III, 6) :

GENSÉRIC. — « Rien ne peut empêcher que je ne me contente.
EUDOXE. — Oubliez-vous l'honneur ?
GENSÉRIC.   — Tout, pour vous posséder.
EUDOXE. — Ecoutez la raison.
GENSÉRIC.   — Elle vient de céder.
EUDOXE. — Elle parle pourtant.
GENSÉRIC.   — Elle est mal écoutée. (...)
EUDOXE. — A la mort.
GENSÉRIC.   — Au plaisir... Gardes, rompez la porte. »

Mais Eudoxe met le feu au palais et les agresseurs doivent reculer devant les flammes.

Violences physiques, chantage ou menace, ce sont là des moyens employés seulement par les mal aimés, brutaux ou tyrans, auxquels les belles se refusent. Le galant chevaleresque, lui, n'a point de mal à gagner le cœur de la jeune fille dont il s'est épris. On lui pardonne assez vite les stratagèmes qu'il a employés — travesti ou déguisement — et ses déclarations ne sont pas mal reçues. Mais, souvent, quand la pièce commence, les choses sont plus avancées et un amour réciproque unit déjà les jeunes gens. C'est alors que vont surgir *les obstacles,* les « divers empêchements »[12], qui constituent en général le nœud de ces tragi-comédies.

L'obstacle aux désirs des jeunes gens *peut venir d'un père* qui, par ambition, par intérêt, à cause de haines familiales, ou pour une autre raison, s'oppose aux projets matrimoniaux de son fils ou de sa fille. Comme beaucoup de pères de comédie, Aymon, le père de Bradamante, préfère donner sa fille à Léon plutôt qu'à Roger, dont la jeune fille est éprise, car, dit-il,

> « Ce que je prise plus, en si belle alliance,
> C'est qu'il ne faudra point débourser de finance :
> Il ne demande rien » (*Bradamante,* de Garnier, II, 1).

De même, dans l'*Amélie* de Rotrou, malgré l'amour de l'héroïne pour Dionis — elle lui a fait connaître ses sentiments en feignant de rêver —, son père veut la donner au riche Eraste, et les amants doivent s'enfuir[13].

C'est parfois l'inégalité de rang qui motive l'opposition d'un père. Déjà dans la *Sylvie* de Mairet, le roi de Sicile, mécontent de voir son fils, le prince Thélame, épris d'une « fille des champs », voulait la faire mourir, puis séparait les amants par un sortilège. De même, le monarque de *Laure persécutée,* après avoir songé à faire tuer cette Laure dont son fils s'est follement épris, alors qu'il destinait à Orantée une infante polonaise, organise une machination diabolique pour

---

12. Voir le titre de *Tyr et Sidon*, « tragi-comédie où sont représentés les divers empêchements et l'heureux succès des amours de Belcar et Méliane ».

13. Ces choix parternels ont parfois des conséquences tragiques. Dans *Arsacome*, de HARDY, le roi Leucanor ayant refusé sa fille Masée au héros pour la marier au riche Adimache, des amis d'Arsacome viennent enlever la jeune fille et tuent son père. Dans l'*Inconstance punie*, de LACROIX, Erante aime mieux donner sa fille Mélanie au noble Clarimant qu'au berger Caliris : celui-ci se jette dans la Seine et Clarimant délaisse bien vite Mélanie pour sa sœur Clorise, ce qui amènera de nouveaux malheurs.

persuader le prince de l'infidélité de sa maîtresse. Ailleurs, on apprend qu'une jeune fille, que son père, le roi d'Epire, voulait marier au roi de Thrace, a dû s'enfuir avec son amant (*L'Heureux Naufrage*), ou qu'un autre roi a tenté de faire assassiner l'audacieux qui prétendait à la main de sa sœur (*Les Occasions perdues*).

La politique joue parfois un rôle dans les préférences des princes. Dans *Cléomédon,* le roi Policandre destinait d'abord sa fille aînée, Célanire, au brave Cléomédon, le sauveur du royaume, qui aimait la jeune fille et en était aimé. Mais, pour assurer la paix, il suit les avis de ses conseillers, jaloux de la faveur du héros et décide de marier Célanire au prince Céliante (III, 5) : du coup, Célanire est désespérée et Cléomédon devient fou. Ailleurs, c'est la perte d'un être cher qui, mettant au sein d'un père ou d'une épouse une haine inexpiable, semble interdire tout espoir à deux jeunes gens. Le roi de Tyr, Pharnabaze, dont le fils a été tué à Sidon, veut faire périr Belcar, le prince sidonien amoureux de sa fille (*Tyr et Sidon*). La reine Rosemonde, dont le mari a péri dans une guerre contre Naples, veut la tête du prince napolitain Cléarque, qui aime sa fille Argénie (*Le Prince déguisé*). Les exemples ne manquent pas, dans nos tragi-comédies, d'amours contrariées par la volonté d'un père.

Mais, plus souvent encore, l'*obstacle* à la félicité des amants *vient d'un rival — ou d'une rivale —* qui cherche à brouiller le couple, à éliminer celui — ou celle — qu'on lui préfère, et même à perdre ceux dont il — ou elle — jalouse le bonheur.

La seule existence d'un rival, même dépourvu de malveillance, suffit à troubler une idylle, à bouleverser une union heureuse. L'affection, l'amitié, la reconnaissance peuvent obliger un amant à renoncer à ses vœux les plus chers et à s'effacer devant un autre, épris aussi de celle qu'il aime. Roger se sent obligé de combattre Bradamante par reconnaissance envers son rival, Léon, qui ignore que son champion est épris de la jeune fille. Dans *Céliane,* c'est par amitié que Pamphile envisage de céder Nise à Florimant (III, 2) ; l'Alidor de Rayssiguier a beau soupirer en secret pour Calirie, que son oncle

Oronte aime et doit épouser (*La Célidée,* II, 4), la tendresse d'Oronte pour son neveu le fait renoncer en sa faveur à la jeune femme, qu'il aime pourtant passionnément. Plusieurs pièces de Brosse, de Quinault, de Th. Corneille, représenteront l'histoire de Seleucus renonçant à épouser Stratonice pour son fils Antiochus, qui meurt d'amour pour elle.

Mais ces cas sont tout de même exceptionnels, et, en général, le rival ne se contente pas de soupirer en silence comme Alidor ou Antiochus. Il cherche d'ordinaire à brouiller les amants, par exemple en faisant croire à celui qu'on lui préfère qu'il jouit lui-même des faveurs de la belle. Ainsi font Méandre, dans l'*Indienne amoureuse,* de Du Rocher, ou Octave, dans *Laure persécutée*[14]. Dans ce genre d'imposture, la palme revient sans doute à un personnage du *Trompeur puni,* de Scudéry, Cléonte, qui, par un double artifice — il feint d'entrer chez Nérée, la nuit, devant son rival ; il montre à la jeune fille une lettre galante de la main de son amant — réussit à brouiller un temps Arsidor et Nérée. Presque aussi machiavélique est le roi de *L'Heureuse Constance,* de Rotrou : au moyen de fausses lettres, il fait croire à Rosélie, dont il est épris, et à l'amant de celle-ci, Alcandre, que chacun trahit l'autre. Heureusement, ici encore, les amants, désabusés, ne tarderont pas à se réconcilier.

Il arrive aussi au rival mal aimé de recourir à la violence, soit qu'il cherche à forcer la volonté de la jeune fille, soit qu'il tente de faire périr celui qu'on lui préfère. On a vu plus haut quelques exemples de ces brutaux qui tentent de prendre de force celle qui leur résiste, ou de ces princes abusant de leur pouvoir sur la jeune fille qu'ils tiennent à leur merci. Pour se débarrasser de leur rival heureux, les plus loyaux, parmi ces mal aimés, le provoquent en duel : dans *Dom Lope de Cardone,* Sanche se bat avec le héros, aimé de la belle Théodore ; dans le *Trompeur puni,* Alcandre croise le fer avec

14. Une calomnie suffit parfois pour faire croire à l'amant que sa maîtresse est infidèle. Dans *Célie,* Flaminie, jaloux d'Alvare qui va épouser l'héroïne, le persuade que la jeune fille est débauchée. Alvare rompt immédiatement et le père poignarde sa fille qu'il croit déshonorée.

Arsidor à qui il dispute Nérée. D'autres ne reculent pas devant l'assassinat : Pymante tend un guet-apens à Rosidor qu'il sait aimé de Dorise (*Clitandre*) ; Cléonte a rassemblé des amis pour tuer celui qu'il croit l'amant de la reine, dont il est lui-même épris (*Les Occasions perdues,* V, 9) ; et Dorimond aposte trois sicaires pour éliminer Cléandre, trop chéri de Céphalie (*L'Heureux Naufrage*, IV, 7-8).

Mais, dans ce théâtre, ce sont les femmes qui montrent le plus de perfidie ou de cruauté.

Elles tentent d'abord, bien entendu, de séduire le galant. Certaines se déclarent sans détours. Ainsi, Cléonice, qui s'offre d'emblée à son sauveur (*L'Hypocondriaque*, II, 3) :

> « — Triomphe de mes sens, cher, objet, et te vante
> Qu'un instant me surmonte et t'acquiert une amante. »

ou Mélanire, qui fait au pseudo-jardinier du *Prince déguisé* des avances on ne peut plus claires (II, 6) :

> « — Remarque mes soupirs, et, sans que je le die,
> Afin de me guérir, connais ma maladie.
> Mes yeux parlent assez ; mon cœur te dit par eux,
> Puisque tu n'aimes point, qu'il est trop amoureux »,

avant de conclure, en termes bien galants pour une paysanne :

> « ... conservant ta glace auprès de mon ardeur,
> Seras-tu sans courage, où je suis sans pudeur ? »

D'autres, n'osant se déclarer aussi ouvertement, ont recours à un intermédiaire, qui est parfois — invention piquante des dramaturges — leur propre rivale : dans *L'Amant libéral,* la femme du cadi, dans *L'Heureux Naufrage,* la reine Salmacis, chargent de parler pour elles la maîtresse du héros !

Mais il faut faire oublier au héros la femme à laquelle il était attaché, si l'on veut gagner son cœur. Aussi les amoureuses emploient alors divers stratagèmes. Cléonice falsifie une lettre de sa rivale et persuade Cloridan que sa maîtresse est morte (*L'Hypocondriaque,* III, 2). Salmacis, de même, soudoie un serviteur de Cléandre pour qu'il témoigne à son maître « que Floronde n'est plus » (*L'Heureux Naufrage,*

II, 2). Les deux impostures n'ont d'ailleurs pas le résultat escompté : Cloridan devient fou de douleur et Cléandre reconnaît dans le serviteur soudoyé justement cette Floronde dont on lui annonçait la mort !

Plus machiavéliques, d'autres femmes, à l'instar des amants jaloux, tentent de faire croire à l'amant que sa maîtresse le trompe. La terrible Lériane réussit ainsi à brouiller Damon et Madonte. La jalousie pousse même les rivales dédaignées jusqu'au crime. La même Lériane emploie une ruse abominable pour perdre Madonte[15]. Dans *Cariste,* une autre femme, Astérie, tente également de faire périr sa rivale, dans l'espoir de reconquérir le prince Cléon : elle soudoie un Thessalien, qui dénonce au roi Cariste comme sorcière. Ecoutons encore Rodope, qui, apprenant qu'Alcimédon aime Phénise, s'excite à la vengeance :

> « — Entreprends, ose tout, passe jusques aux crimes,
> Donne à tes passions de sanglantes victimes,
> Et montre qu'une femme a rarement appris
> A souffrir sans vengeance un si lâche mépris. » *(Alcimédon) ;*

après quoi elle demande à Tyrène de noyer la jeune fille dans un étang. C'est peut-être dans *L'Innocente Infidélité,* de Rotrou, que la fureur sanguinaire d'une femme jalouse se manifeste avec le plus de violence. Hermante, que le roi Félismond a délaissée pour Parthénie qu'il a épousée, invoque les «puissances de l'enfer», les Parques, les Mégères, et veut

> «... tuer Parthénie entre les bras du roi» (I, 1).

Elle réussit par ses artifices à reconquérir le cœur du faible Félismond, mais, non satisfaite d'avoir évincé l'épouse légitime, elle réclame sa mort :

> FÉLISMOND. — «Cet avis est cruel.
> HERMANTE.   — L'effet en sera doux.
> Puis-je voir sans regret qu'une autre soit à vous,
> Vous témoigner le jour une ardeur sans égale
> Et vous croire, la nuit, au sein d'une rivale ? »

---

15. Elle soutient que Madonte a eu un enfant illégitime, et l'infortunée est condamnée au bûcher.

Et Félismond charge un gentilhomme de précipiter à l'eau « cette femme importune » (III, 1)[16].

La fureur de ces femmes jalouses ne se déchaîne pas seulement contre leur rivale ; l'homme qui les a dédaignées ou trahies devient aussi pour elles un objet de haine. Ce changement de l'amour le plus vif en une haine non moins violente est montré très nettement dans *Le Prince déguisé,* de Scudéry. Mélanire, étonnée de la froideur du beau jardinier à son égard, l'épie et le surprend en galante conversation avec la princesse Argénie ; sa passion se change instantanément en haine (III, 6) : décidée à pousser « hardiment le crime jusqu'au bout », elle dénonce Cléarque et Argénie à la reine, savourant la joie de se venger de celui qui l'a dédaignée (IV, 5) :

> « — L'aise de la vengeance occupe tous mes sens ;
> Je ne saurais le dire ainsi que je le sens.
> Orgueilleux, tu sauras qu'une femme en colère
> Est capable de tout, quand elle ne peut plaire. »

De la même façon, Lisimène, qui s'est crue trompée par Pyrandre, fait surprendre l'infidèle[17] avec Orante par Araxe, le frère brutal qui les déteste (*Pyrandre et Lisimène,* II, 6). Dans deux tragi-comédies de palais, deux femmes tentent encore de perdre le favori qui les a dédaignées : si Théodat, accusé par Amalfrède d'avoir voulu assassiner la reine, est sauvé *in extremis* par un heureux concours de circonstances (*Amalasonte*), Bélissaire a moins de chance : après avoir échappé à quatre tentatives d'assassinat — l'impératrice jalouse a tenté de le poignarder elle-même ! — il est condamné par Justinien, lorsque Théodore l'accuse d'avoir voulu la séduire.

Rivaux ou rivales, même s'ils ne se laissent pas toujours entraîner à des actes criminels, sont donc pour les amants un

---

16. Naturellement les héroïnes échappent à la mort. Madonte et Cariste voient leur innocence établie lors d'un duel judiciaire et les domestiques chargés d'assassiner Phénise ou Parthénie n'obéissent pas aux ordres donnés. Quant aux rivales malfaisantes, ou elles périssent (Lériane, Hermante), ou elles se rachètent par leur repentir (Rodope, Astérie).

17. En réalité, c'est Pyroxène, que Pyrandre a envoyé à sa place, qui est surpris avec Orante ; mais il s'échappe et c'est Pyrandre qu'on arrête.

obstacle redoutable. Ajoutons que cet obstacle est parfois purement imaginaire et que — c'est le titre d'une pièce de Boisrobert — les apparences sont souvent trompeuses. Un galant peut se laisser prendre à une feinte, comme Alindor, du *Jaloux sans sujet,* de Beys, qui se croit trahi par l'ami auquel il a demandé de faire semblant d'aimer sa maîtresse, ou être dupe d'un travesti, comme le Dionis de Rotrou (*Amélie*) ou le Garcie de Molière, qui n'ont pas deviné le sexe de la personne que leur maîtresse serre dans ses bras.

De toute façon, tyrannie paternelle, manœuvres d'un rival, ruses d'une femme jalouse, méprise — ces contrariétés provoquent *une crise,* mettant en péril le bonheur des amants, crise à laquelle ils vont réagir de différentes façons, selon leur tempérament, selon aussi les traditions du genre, car, ici encore, les mêmes comportements se répètent dans la plupart des œuvres.

Lorsque la tyrannie d'un père ou la passion d'un rival puissant contrarie l'amour des protagonistes, le seul remède est la fuite. Chryséide comme Dorinde tentent ainsi d'échapper au roi Gondebaut. C'est aussi la fuite qu'avait choisie Cléandre, en enlevant en bateau Floronde, que son père voulait marier à un autre (*L'Heureux Naufrage,* 1, 2) :

> « ... d'un commun accord notre fidélité
> Sur un traître élément cherche la sûreté. »

Et c'est la seule solution que trouve Dionis, pour empêcher Amélie d'épouser celui que son père lui destine (*Amélie,* III, 5).

Si — autre contrariété — une aimable princesse ou une épouse insatisfaite tente de séduire le héros, à moins qu'inversement, un cavalier ne se fasse pressant avec l'héroïne, on assiste à des comportements différents.

Tantôt, le héros ou l'héroïne sont d'une fidélité à toute épreuve. Malgré les offres ou les menaces de la reine Salmacis, Cléandre reste fidèle à Floronde. Ecoutons-le répondre à la reine, qui lui offre la couronne (*L'Heureux Naufrage,* IV, 4) :

> « ... vos plus charmants appas,
> Votre sceptre, vos biens, vos caresses, vos larmes,
> Pour assaillir ma foi sont d'inutiles armes » ;

et lorsque Salmacis, furieuse d'être repoussée, l'a livré au bourreau, il refuse encore la dernière chance qu'elle lui offre par fidélité à sa maîtresse (V, 3) :

> « — Amour, plaintes, soupirs, rang, dignités, couronne,
> Et tout le monde ensemble asservi sous ma loi,
> D'un inutile effort attaquerait ma foi. »

Autre héros de la fidélité, Ligdamon, au moment d'épouser Amerine à qui il doit la vie, boit du poison, pour ne pas trahir Silvie (*Ligdamon et Lidias*). Ailleurs, malgré les injustices d'Aurore, abusée par les apparences ou les manœuvres d'un rival, Roger continue à l'aimer (*Les Coups de l'Amour et de la Fortune*, II, 5) :

> « — Toute ingrate qu'elle est, il faut que je l'adore. »

L'*Heureuse Constance*, de Rotrou, nous offre un bel exemple de fidélité réciproque : pour séparer Alcandre et Rosélie, le roi a beau éloigner le premier en Dalmatie, offrir la couronne à la seconde, ou encore essayer de les brouiller par de fausses lettres ; rien ne peut ébranler la fidélité des amants :

> « — Vous traversez en vain des amours si parfaites »,

déclare au roi Rosélie (V, 2), qui finira par épouser son cher Alcandre.

Tous n'ont pas la même constance. Quelques galants, par faiblesse ou humeur volage, ou encore parce qu'ils croient leur maîtresse morte, ne sont pas insensibles au charme d'une belle étrangère. Dans la *Félismène*, de Hardy, Dom Félix, oubliant la maîtresse qu'il a laissée en Espagne, s'éprend d'une princesse allemande ; l'Aristandre de la *Généreuse Allemande*, malgré son attachement à Camille, n'est pas indifférent à l'amour de Roseline, la reine hongroise, avec laquelle il échange des propos passionnés (I, III, 2) ; et Lucidor, croyant Angélique morte, se fiance à une jeune Florentine (*La Pèlerine amoureuse*). Comme le constate amèrement Angélique (III, 5),

> « ... en combien d'esprits peut régner la constance,
> Quand l'objet de leurs vœux n'est plus à leur défense,

Et que l'éloignement efface les crayons
De ce qui n'est plus vu par ce que nous voyons. »

En pareille circonstance, les femmes se montrent d'ordinaire plus énergiques que leurs faibles amants : après avoir déploré leur inconstance, elles réagissent et partent à la recherche de l'infidèle avec l'espoir de le reconquérir. C'est là, après *Félismène,* un thème qui revient souvent dans nos tragicomédies. Angélique, par exemple, ne voyant pas revenir Lucidor après six mois d'absence, s'est d'abord abandonnée à la douleur (*La Pèlerine amoureuse*) :

« — Un cruel désespoir saisit mon cœur, de sorte
Qu'en l'état où j'étais, on me crut longtemps morte. »

Mais, se resaisissant, elle a pris l'habit de pèlerine dans le dessein

« de voir cet infidèle amant
Et de lui reprocher ce honteux changement » (III, 5).

L'intrigue secondaire de *La Célidée* nous montre encore une autre jeune fille, Cintille, partie à la recherche de l'infidèle Alidor (II, 1) :

« — J'ai quitté mon pays pour arrêter sa fuite ;
J'ai laissé mes parents, oublié mon devoir,
Pour avoir le bonheur encore de le voir. »

Pour courir les routes, Cintille a pris un habit d'homme. C'est ce que font la plupart de ces belles délaissées qui, sous un travesti masculin, voyagent plus commodément et courent moins de risques. Félismène s'était costumée en page pour suivre Dom Félix ; Camille rejoint l'infidèle Aristandre sous un vêtement guerrier, ou s'habille en maçon pour le voir dans sa prison ; et, dans le *Scipion,* de Desmarets, c'est en soldat que se travestit la princesse Hyanisbe pour tenter d'arracher Garamante à Olinde.

Ces travestis donnent souvent lieu à des méprises plaisantes. Peu de femmes résistent au charme de ces beaux « cavaliers », ce qui amène quelques complications. Dans les *Deux Pucelles,* de Rotrou, Théodose et Léocadie, qui se sont vêtues toutes deux en cavaliers pour retrouver leur commun séducteur, ne laissent pas insensible leur tendre hôtesse, troublée par ces « passants pourvus d'attraits si doux » (II, 1). Le charme de Cintille, qui passe pour un gentilhomme sous le nom d'Alcandre, agit sur une autre femme, Mélissée, qui lui déclare sa flamme (*La Célidée,* III, 4) et qui n'hésite pas à quitter son amant pour le bel étranger. De même, le travesti de Doristée en page, dans la tragi-comédie de Rotrou, lui attire des déclarations amoureuses de deux femmes, la maîtresse et la suivante, qui successivement lui offrent leur cœur ; et il faudra que le pseudo-page se découvre le sein pour calmer les ardeurs de ces femmes passionnées (*Cléagénor et Doristée,* V, 1).

Félismène, Camille, Cintille, Angélique, Théodose, Léocadie, Hyanisbe..., la liste est longue de ces jeunes femmes délaissées par leur amant, qui se lancent à sa poursuite pour le reconquérir et l'arracher à une rivale. Qu'en est-il des amants, qui se voient ôter celle dont ils sont épris ?

Les « généreux » s'effacent par affection, par grandeur d'âme, ou par reconnaissance envers leur rival. Par tendresse paternelle, le roi Seleucus laisse Stratonice à son fils Antiochus ; l'affection d'Oronte pour son neveu le fait se sacrifier et renoncer à Calirie pour lui ; un devoir de reconnaissance oblige Roger à combattre Bradamante pour son rival et, inversement, Léon, dès qu'il a appris la générosité de son champion, s'efface à son tour. C'est encore par générosité que, dans le *Trompeur puni* et dans *Orante,* Alcandre ou Ormin s'effacent devant Arsidor ou Isimandre.

Pareilles abnégations sont rares. Le plus souvent, la perte d'une maîtresse plonge l'amant dans la douleur et le désespoir, à moins qu'elle ne le pousse à la vengeance et au crime. Cléagénor s'étonne de vivre encore, après qu'un rival lui a enlevé Doristée :

> « — O dieux ! à ce penser je conserve la vie ?
> Contre un mal si cruel mon courage est si fort ?
> Et je vis si longtemps, quand mon espoir est mort ? » (I, 1).

Dom Alvare est « immobile, interdit, privé de sentiment », en apprenant que Célie n'est pas fidèle (*Célie,* III, 8). Orantée, se croyant trahi par Laure, s'écrie :

« — Tous mes fers sont brisés, toute ma flamme est morte » ;

mais il n'a pas la force de s'éloigner de la maison de sa maîtresse (*Laure persécutée,* III, 8). Mairet évoquait déjà, en 1625, de façon saisissante le désespoir d'Arimant, lorsqu'il apprend du fidèle Bellaris que Chryséide est retombée aux mains de Gondebaut (V, 1) :

> « — O mortelle surprise !
> Non, non, n'achève point : ma maîtresse est reprise !
> Ciel, quand seras-tu las de me persécuter ?
> Çà, je veux contre moi ta rage exécuter.
> BELLARIS. — Dieux ! que voulez-vous faire ? ô rage !
> [ô barbarie !
> Un homme comme vous se rendre à la furie !
> Il se pâme, il se meurt. Dieux ! que sera-ce cy ?
> Accourez, accourez ; son œil est obscurci
> Et son front tout baigné d'une sueur de glace. »

La douleur de l'amant va parfois jusqu'à lui faire perdre la raison. Un des premiers insensés par désespoir amoureux, le Cardénio de Pichou, se croyant trahi par Luscinde[18], s'enfuit dans la forêt où il devient fou. C'est la nouvelle — fausse — de la mort de Perside, qui fait déraisonner « l'hypocondriaque » de Rotrou : Cloridan s'imagine qu'il est mort, aux enfers ; prend Cléonice pour sa chère Perside et lui reproche de le tuer une seconde fois par son infidélité (III, 2). Cléomédon, à qui Policandre a refusé sa fille, sombre lui aussi dans la folie : il ressasse son infortune et les paroles blessantes du roi à son égard ; il croit voir les Titans surgir de l'enfer pour l'aider à renverser le monarque parjure, à moins que, dans son délire, il ne se représente Célanire entraînée par son rival (IV, 3). Enfin, après l'Arioste, Mairet nous montre à son tour Roland qui, devenu furieux après la trahison d'Angélique, abat les arbres

---

18. Il a assisté au début du mariage de Luscinde et de Fernant et est parti, désespéré. Mais la jeune fille s'est évanouie avant de prononcer le « oui » sacramentel et elle s'est retirée au couvent.

où l'infidèle et Médor ont gravé leurs noms, ou fauche le gazon
et les fleurs,

« Qu'ont foulés tant de fois ces amants détestés »,

avant de massacrer tous les paysans qu'il rencontre.

Parfois, les amants désespérés tournent leur fureur contre
eux-mêmes et, comme l'Aminta du Tasse, tentent de se donner
la mort, sans y parvenir non plus, dans la plupart des cas. C'est
bien une forme de suicide que l'attitude de Clitophon qui, dans
la pièce de Du Ryer, désespéré de la mort — fausse — de
Lucippe, se laisse accuser et condamner à mort. Dans
Madonte, c'est parce qu'il se croit trahi que Damon, après
s'être battu avec son rival, vaut mourir : il arrache le mouchoir
de sa blessure, avant de se jeter à l'eau. On a vu que Ligdamon,
pour rester fidèle à Silvie, buvait du poison (*Ligdamon et
Lidias*) et qu'Orante, pour éviter un mariage odieux, arrachait
ses pansements pour mourir. Mais l'innoncence de Clitophon
est reconnue ; Damon est sauvé par des pêcheurs ; Ligdamon,
au lieu de poison, a bu un somnifère ; et Orante est sauvée à
temps. Seule, *L'Inconstance punie,* de La Croix, a une fin
tragique : si le berger Caliris, qui s'est jeté dans la Seine
lorsqu'on lui a refusé la main de Mélanie échappe à la mort, les
deux sœurs de Mélanie, séduites par l'inconstant Clarimant,
réussissent, elles, leur suicide. Mais pareil dénouement est
exceptionnel.

D'autres amants refusent de s'abandonner au désespoir,
essaient de vaincre les obstacles qui contrarient leur amour,
d'arracher à leurs rivaux la belle dont ils sont épris. Les
femmes ne sont pas les seules à partir à la recherche de l'amant
volage ou qui tarde à revenir. On voit aussi des hommes tentant
de retrouver la maîtresse que leur a enlevée un rival. Cléagénor
parcourt le monde depuis trois mois à la recherche de Doristée
(I, 1) :

« — J'ai monté des rochers les plus superbes têtes,
J'ai vu sous moi les lieux où se font les tempêtes,
J'ai cherché Doristée aux antres plus cachés
Qu'un mortel sans mourir ait encore approchés ;

J'ai vu ce que Neptune en mille endroits enserre,
Et l'onde m'est ingrate aussi bien que la terre ;
Le ciel, impitoyable à mon mal infini,
Rend ma poursuite vaine et ce rapt impuni. »[19]

Clitophon poursuit en bateau le ravisseur de Lucipe[20]. Eraste se lance à la poursuite d'Amélie, qui s'est enfuie avec Dionis (*Amélie*).

Ailleurs, l'amant provoque en duel son rival plus heureux, ou qu'il croit tel. Damon, persuadé que Madonte le trompe avec Thersandre, se bat contre celui-ci (II, 6) :

« — Hà ! te voilà, voleur ! sus, sus, pense à mourir...
En chemise, en chemise, afin de voir sans peine
Le sang que mon épée aura pris de ta veine. »

Arsidor provoque Alcandre, à qui le roi voulait donner Nérée (*Le Trompeur puni*, V, 4), et Dom Sanche oblige Dom Lope, son rival heureux, à combattre, malgré la menace du prince d'Aragon de faire trancher la tête aux duellistes (*Dom Lope de Cardone*).

Quand le héros a retrouvé le ravisseur de sa belle, il l'attaque sans barguigner. Cléagénor, surprenant Ozanor qui faisait violence à Doristée, lui plonge son épée dans le corps (I, 3) ; Poliarque tue le roi de Sardaigne, Radirobane, qui allait enlever Argénis sur une plage (*Argénis*, deuxième journée) ; Ormin attaque Isimandre, qui s'était enfui avec Orante (*Orante*). Léandre, lui, profite du conflit entre les bachas et le cadi, qui se disputent la belle Léonise, pour intervenir et libérer sa maîtresse (*L'Amant libéral*, V, 4) :

« — Leur nombre est amoindri par ce combat funeste :
Frappons les deux partis pour achever le reste. »

Bien entendu, tout finit heureusement pour les héros, qui

---

19. Ces vers ne sont pas sans faire penser à ceux de *Phèdre* (I,1), où Théramène raconte à Hippolyte les voyages inutiles qu'il a faits pour retrouver Thésée.

20. Pour arrêter ses poursuivants, le ravisseur fait décapiter une jeune femme et jeter son corps dans la mer. Clitophon est persuadé qu'il s'agit de Lucipe et se désole. Mais Lucipe est sauve et retrouvera son amant à Ephèse.

retrouvent leur maîtresse disparue, échappent au guet-apens d'un rival déloyal, triomphent sans peine de leurs adversaires et arrachent leur belle à ses ravisseurs.

Mais, à côté des pères intransigeants, des rivaux redoutables, des femmes vindicatives, les amants de la tragi-comédie ont parfois aussi à se défendre contre l'*appareil judiciaire*. Effet d'un fâcheux concours de circonstances, conséquence des perfidies d'un rival ou d'une femme jalouse, il arrive que l'amant soit poursuivi pour un duel où il y a eu mort d'homme (*Lisandre et Caliste*), ou pour un crime dont il est innocent (*Clitophon, Ligdamon et Lidias*), à moins que ce soit sa maîtresse qu'on accuse d'une faute imaginaire — inconduite (*Madonte*), tentative de meurtre (*Edouard*), sorcellerie (*Cariste*). Voilà encore le bonheur d'un couple compromis, car l'un des amants — ou parfois les deux — est jeté en prison et risque le châtiment suprême. Faisant revivre une vieille coutume médiévale — le Jugement de Dieu — les dramaturges imaginent alors de remettre le sort des coupables, ou présumés tels, à un combat judiciaire : son issue montrera clairement de quel côté est le bon droit.

L'une des premières tragi-comédies, *Polyxène* (1597), de Jean Behourt, représentait déjà un combat de ce genre. Un amant rebuté, Pancalier, pour compromettre l'héroïne, met dans le lit de celle-ci son neveu, l'y tue, et accuse ensuite la jeune femme d'adultère ; on la condamne au bûcher, à moins qu'un champion ne défende son innocence. Un inconnu se présente, vainc Pancalier et le force à confesser son imposture : c'est Mandosse, dont Polyxène était secrètement éprise, et qu'elle pourra épouser, grâce à la mort opportune de son mari.

Le succès de ce genre de spectacle — un combat sur la scène, l'issue incertaine qui fait trembler le spectateur pour le héros, l'*incognito* qui entoure de mystère le champion de l'héroïne — explique sans doute la fréquence de ces scènes dans la tragi-comédie des années 1630. C'est un combat de ce genre qui décide du sort de Dorinde, dans la pièce d'Auvray : on sait que la jeune fille, pour échapper au roi Gondebaut, s'est réfugiée à Marcilly ; Polémas met le siège devant la ville et, finalement, un combat singulier oppose Polémas à Sigismond, l'amant de la belle, combat qui se termine évidemment à l'avantage de ce dernier. Dans *Madonte,* l'héroïne, condamnée à mort pour inconduite à la suite des calomnies de la sinistre Lériane, est défendue par un champion, Thersandre ; au moment où il va être accablé sous les coups des neveux de Lériane, il reçoit l'aide d'un cavalier inconnu, qui terrasse ses adversaires : c'est Damon, qu'on croyait mort et qui est revenu opportunément sauver la vie et l'honneur de sa maîtresse. On sait aussi que, ne pouvant obtenir réparation du roi après la victoire de Rodrigue sur les Mores, Chimène demande à Dom Sanche d'être son champion contre celui que son devoir l'oblige à poursuivre.

L'ignorance de l'identité des champions donne souvent du piquant au spectacle. Mais la surprise et la satisfaction du spectateur sont plus vives, lorsque — souvenir du combat fameux de Tancrède et de Clorinde — l'un des combattants se révèle être une femme travestie. Ainsi, dans *L'Infidèle Confidente,* de Pichou, Lisanor, le héros, lutte contre les deux frères Palomèque, qui l'accusent du meurtre de leur parente, Lorise ; lui aussi va succomber sous les coups de ses adversaires, quand un chevalier mystérieux se joint à lui : c'est... Lorise, qui n'était pas morte ; et la découverte de son identité fait cesser le combat[21]. Le romanesque est à son comble dans *Le Prince déguisé,* où un duel judiciaire, là encore, doit décider lequel des deux amants, Argénie et Cléarque, a séduit l'autre et doit périr ; Cléarque se présente, visière baissée, comme champion d'Argénie ; il vainc sans difficulté son adversaire, et on s'aperçoit alors que c'est Argénie elle-même, qui combattait pour Cléarque !

La crise, moment où le bonheur des amants semble irrémédiablement compromis par un obstacle insurmontable — père imposant un mariage odieux, tyran tenant l'héroïne à sa merci,

---

21. Voir aussi *Lisandre et Caliste,* de DU RYER, ou *Cariste,* de BARO.

rivaux ayant réussi à brouiller les amants, décision de justice condamnant le héros ou sa maîtresse — se dénoue généralement au cinquième acte par la disparition imprévue de l'obstacle. Ici encore, *les dénouements* se réduisent à un petit nombre de types.

Une des formes les plus simples de dénouement consiste à éliminer les adversaires du couple amoureux. Il arrive que la mort débarrasse les héros des rivaux qui les persécutaient. Dans *Madonte,* Lériane, qui avait tenté de perdre l'héroïne, est convaincue d'imposture et traînée au supplice (IV, 6) ; quant à Thersandre, le rival du héros, il périt plus honorablement en lui portant secours et peut « rendre avant (sa) mort Madonte à son amant » (V, 3). Dans la *Dynamis,* du Du Ryer, la mort d'Arcas, l'assassin de l'ancien roi de Carie, qui accusait Poliante du crime, et celle de Trasile, le bâtard qui convoitait le trône, permettent à Poliante d'épouser la reine. Les tyrans persécuteurs sont souvent tués par le héros : dans *Trasibule,* l'usurpateur Diomède périt sur l'échafaud qu'il réservait au prince légitime, et, dans la pièce de Gilbert, Téléphonte poignarde Hermocrate, l'assassin de son père, qui voulait de surcroît lui ôter sa maîtresse pour la donner à son fils.

La disparition tragique d'un persécuteur ou d'un rival, même antipathique, risque d'assombrir quelque peu le dénouement de ces tragi-comédies. Cet inconvénient est évité quand le rival ou l'oppresseur, par générosité ou par pitié, s'efface volontairement et permet ainsi le bonheur des amants. La *Bradamante* de Garnier se terminait déjà par le renoncement de Léon, ému par l'abnégation de Roger et lui cédant l'héroïne (V, 1). Dans la première tragi-comédie de Mairet, le roi Gondebaut, dont les promesses et les menaces n'ont pu détacher Chryséide de son cher Arimand, finit par dominer sa propre passion et unir les amants (V, 3).

Le même Gondebaut, dans *Dorinde,* pardonne à son fils et rival, Sigismond, et renonce à la belle. Même le violent et passionné roi des Vandales, Genséric, qui voulait forcer l'impératrice Eudoxe à céder à ses désirs, surmonte aussi sa passion : tout heureux de retrouver vivante celle qu'il avait crue perdue[22], il se repent de ses violences passées et unit Eudoxe au fidèle Ursace (V, 5). Ailleurs, c'est l'affection paternelle qui l'emporte sur la passion et qui conduit un père à se sacrifier pour faire le bonheur de son fils. C'est ce que fait Henri II dans *Marguerite de France,* de Gilbert, ou le roi Séleucus, dans les pièces de Brosse, de Th. Corneille et de Quinault.

Le rival n'a pas toujours à surmonter sa passion pour rendre possible le bonheur des amants. Un change inespéré peut le faire s'éprendre opportunément de quelque autre beauté et renoncer du coup à ses prétentions sur l'héroïne. De pareils changements sont parfois trop opportuns pour ne pas paraître artificiels et destinés à terminer heureusement l'intrigue. C'est bien l'impression que donne l'*Heureuse Constance,* où l'on voit un roi de Hongrie qui, après avoir tout fait pour se faire aimer de Rosélie et la détacher de son amant, Alcandre, s'éprend brusquement d'une inconnue, la reine de Dalmatie, qu'il demande aussitôt en mariage, laissant Rosélie à Alcandre (V, 4) :

> « — Mon frère, bénissez cette heureuse journée
> Où cette belle fille à vos vœux est donnée.
> Rosélie est à vous, possédez sa beauté,
> Et je serai, Madame, à votre Majesté,
> Si je dois espérer d'obtenir cette gloire. »

D'autres « changes » sont mieux préparés : tel celui de Florimant qui, surprenant Nise, dont il s'était épris, en train d'embrasser amoureusement un jardinier — en réalité, Céliane travestie —, est scandalisé par l'inconduite de la belle et la rend à son ancien amant, Pamphile (*Céliane,* V, 8). Plus dramatique est le dénouement de la *Célidée,* de Rayssiguier : comme l'héroïne de *L'Astrée,* Calirie, éprise et aimée d'Oronte, qui allait renoncer à elle par affection pour son neveu, Alidor, a le courage de se défigurer avec un diamant. Alidor, horrifié, détourne les yeux et revient à son ancienne maîtresse (V, 6), si

---

22. Pour échapper à ses violences, Eudoxe avait mis le feu au palais et Genséric croyait qu'elle avait péri dans l'incendie (III, 6).

bien qu'Oronte, qui l'aimait « toute pour l'âme », pourra épouser l'héroïne qui a sacrifié sa beauté pour lui.

Le vieux procédé des reconnaissances, si utilisé dans la comédie, permet, ici aussi, les dénouements heureux. Ainsi, lorsque l'obstacle au mariage de deux amants est l'inégalité de leur condition — les princes n'épousent pas les bergères et les reines ne sauraient faire monter sur le trône un soldat de fortune —, une révélation opportune, nous apprenant que la fille qu'on croyait de basse naissance, est de sang royal, ou que l'aventurier est le fils d'un monarque, arrange tout et permet un mariage heureux, tout en respectant les convenances. Le roi de Hongrie qui, dans *Laure persécutée,* a tout fait pour détourner son fils de l'héroïne, finit par consentir au mariage des jeunes gens lorsqu'il apprend que Laure est la fille du feu roi polonais (V, 10). Inversement, Carlos qui, en dépit de ses exploits, ne pouvait prétendre à la main d'Isabelle de Castille, découvre, grâce à un billet qu'on remet à la reine d'Aragon, qu'il est le fils de cette dernière et donc digne d'épouser l'héritière de Castille (*Dom Sanche d'Aragon,* V, 7).

Cette découverte d'une parenté insoupçonnée empêche parfois, au dernier moment, un mariage redouté et permet au contraire l'union des amants. Ainsi, à la fin de la deuxième journée de l'*Argénis,* de Du Ryer, on apprend qu'Arcambrotte, qui allait épouser l'héroïne, est son demi-frère : Argénis peut donc épouser son amant Poliarque. Plus spectaculaire est le dénouement de *Cléomédon.* Comme le roi Policandre veut contraindre sa fille Célanire à épouser Céliante, alors que la jeune fille aime Cléomédon, elle est désespérée, tandis que, Cléomédon, furieux, veut tuer son rival (V, 4-5). Policandre apprend alors de la reine Argire que Céliante est leur fils et qu'il ne peut donc pas se marier avec sa demi-sœur. Puis, grâce à une marque sur sa main, la reine reconnaît en Cléomédon le fils qu'elle avait eu du « roi des Santons » et le nouveau prince peut épouser Célanire (V, 8). Cette double reconnaissance a ainsi permis d'éviter l'inceste et de conclure un mariage heureux. C'est encore une reconnaissance *in extremis* qui, dans *Cassandre comtesse de Barcelone,* dénoue une situation particulièrement tendue et autorise l'union des amants, longtemps désespérés par la crainte de commettre l'inceste.

Un procédé voisin de la « reconnaissance », les retrouvailles, permet aussi de dénouer rapidement et heureusement beaucoup de tragi-comédies. Le héros ou l'héroïne, qu'on a crus morts, reparaissent à la dernière scène. Ainsi, comme le remarque justement J. Scherer[23], le dramaturge satisfait « le goût du tragique et le goût du dénouement heureux tout ensemble ». Les exemples de ces disparus qui reviennent bien en vie au dénouement ne manquent pas. C'est Lucipe qui, dans *Clitophon,* reparaît providentiellement, alors que le héros la croyait morte et, dans son désespoir, allait se laisser condamner comme son assassin ; c'est Perside qui, dans *L'Hypocondriaque,* retrouve au cinquième acte le fidèle Cloridan, que la nouvelle de sa mort avait rendu fou, ou encore Cléagénor, dont Théandre avait annoncé le trépas à Doristée, qui rejoint sa maîtresse, à la fin de la pièce de Rotrou. Citons encore, dans *Palène,* de Boisrobert, Dryante, que l'on croit victime d'un accident de char, et qui reparaît au dénouement pour pardonner à ceux qui ont tenté de le perdre[24] et épouser la sœur de son rival.

Un cas particulièrement pathétique de « retrouvailles » est celui où un prince, en proie au remords pour avoir injustement condamné la femme qu'il avait crue infidèle, a l'heureuse surprise de la retrouver vivante. Ainsi, dans *L'Heureuse Infidélité,* le roi Félismond, ensorcelé par la perfide Hermante, a fait mettre à mort sa femme Parthénie. Délivré du sortilège qui l'attachait à une maîtresse indigne, il se désole de son acte (V, 4) ; dans son désespoir, il songe même au suicide, lorsque Parthénie paraît : l'homme chargé de la tuer avait eu pitié de la malheureuse et l'avait cachée dans un château. Aussi la joie de Félismond éclate (V, 8) :

---

23. *La Dramaturgie classique,* p. 139.
24. La propre fille du roi, Palène, avait saboté le char de Dryante pour assurer la victoire de Clyte, dans l'épreuve que les deux hommes disputaient pour obtenir la main de la jeune fille.

« — Je revois cet objet à mes yeux si charmant !
Parthénie est vivante ! ô doux ravissement ! »

De même, l'héroïne d'une pièce de Boisrobert, *Théodore, reine de Hongrie,* que le roi son mari a donné l'ordre d'exécuter, la croyant coupable d'une passion adultère — son beau-frère Tindare, repoussé par elle, l'en a accusée —, n'a pas non plus été tuée et lorsque Ladislas, qui a appris trop tard l'innocence de son épouse, se lamente et désespère de jamais la revoir, celle-ci paraît et pardonne à son époux repentant (V, 4-5)[25].

La réapparition du héros — ou de l'héroïne — injustement condamné est parfois précédée d'une justification, qui réhabilite celui — ou celle — qu'on croyait coupable. Une lettre de Tindare apprenait à Ladislas que son épouse était innocente (*Théodore,* V, 3) ; Sténobée, avant de se suicider, avait proclamé l'innocence de Bellérophon ; et, dans *Amalasonte,* Amalfrède qui, par jalousie, avait accusé Théodat d'avoir voulu assassiner la reine, révèle avant de mourir que le héros n'est pas coupable. C'est aussi par une justification du héros que se terminent les *Coups de l'Amour et de la Fortune, Lisandre et Caliste, Athénaïs.* L'héroïne d'*Edouard,* de La Calprenède, se justifie elle-même devant le roi : accusée par Mortimer d'avoir voulu poignarder le monarque, elle déclare à celui-ci qu'elle avait une arme pour s'en frapper elle-même, s'il attentait à son honneur (V, 3) :

« — ... je craignis avec quelque apparence
Un pire traitement et la dernière offense

---

25. Dans le *Bellérophon* de QUINAULT (1671), c'est une femme, Sténobée, qui calomnie devant son mari le héros, qui a repoussé ses avances. Le roi, furieux, maudit l'ingrat (IV, 3) :
« — Qu'il aille donc périr, errant loin de nos yeux,
Et que d'un nouveau monstre il délivre ces lieux ! »
On apprend, à l'acte suivant, que le jeune homme, avant d'affronter un monstre terrible, a prié un officier d'annoncer son trépas à la reine et celle-ci, saisie de remords, confesse alors qu'elle a menti et sort pour se tuer. Mais Bellérophon, plus heureux qu'Hippolyte, a triomphé du monstre et après avoir prouvé son innonence, épouse la jeune fille qu'il aimait, dénouement en tout point semblable à ceux de nos tragi-comédies « à fin heureuse ».

Qu'une faible vertu pouvait appréhender
D'un prince violent (...)
Et je me résolus à détourner l'outrage
Qu'un puissant ennemi faisait à mon honneur,
En portant ce poignard pour m'en percer le cœur. »

Aussi le roi, ému et repentant, fait-il arrêter Mortimer et il épouse la vertueuse Elips. Il arrive, hélas, que la justification vienne trop tard, comme dans le *Bélissaire* de Rotrou : lorsque Camille, envoyée par l'impératrice, apprend à Justinien que son général est innocent du forfait dont on l'accuse — Théodora, pour se venger de ses dédains, a prétendu que Bélissaire avait tenté de la séduire —, le héros est mort et Justinien ne peut que s'abandonner à la douleur (V, 7), exemple assez rare d'une tragi-comédie se terminant tragiquement.

Enfin, c'est parfois le repentir du coupable et le pardon de l'offensé qui amènent le dénouement heureux attendu par le spectateur. Les amants volages attendrissent par leurs larmes celle qu'ils ont délaissée, les princes magnanimes oublient leur ressentiment, les couples brouillés se raccommodent et les adversaires se réconcilient.

Les amants infidèles mettent parfois longtemps avant de revenir à leurs premières amours et d'implorer un pardon qui ne leur sera pas refusé. Sept ans se sont écoulés avant qu'Alphonse, de retour en Espagne, ne retrouve la jeune Léocadie, qu'il avait violée, au début de *La Force du Sang,* et qu'il ne se décide à l'épouser : le fils, qui est né de leur union et qui provoque leurs retrouvailles, a plus de six ans, lorsque le brutal accepte de réparer sa faute passée (V, 5). Florisel met plus de temps encore à se repentir puisque, quand commence *Agésilan de Colchos,* l'enfant qui est né de ses amours avec Sidonie, est devenu une belle jeune fille, que sa mère a promise à qui lui apporterait la tête de l'infidèle. Mais lorsqu'Agésilan a livré Florisel à la reine, celle-ci, subjuguée par son « invincible charme » renonce à sa vengeance contre le volage, qui obtient sans difficulté son pardon (V, 3). La liste serait longue de ces galants volages qui reviennent, plus ou moins vite, se faire pardonner par celle qu'ils avaient abandonnée, du Fernant des

Folies de Cardenio, revenant de Luscinde à Dorotée, à Antoine qui, dans *Les Deux Pucelles,* retrouve sa fidèle Théodore, de l'inconstant Dom Félix, à qui Félismène pardonne son égarement passager, à Lucidor qui réussit à apaiser Angélique, la « pèlerine amoureuse » qui pardonne à son « déloyal amant ».

Les belles délaissées ont gardé au fond d'elles-mêmes un reste de tendresse pour le volage qui les a séduites :

> « — Par quel secret pouvoir, par quelle destinée,
> Conservé-je pour lui cette ardeur obstinée ? »,

se demandait Sidonie (*Agésilan,* V, 3), exprimant un sentiment qu'elles partagent toutes. Les princes n'ont pas les mêmes raisons de pardonner à celui qui les a offensés. C'est bien encore l'amour, qui désarme la reine Salmacis et la fait renoncer à punir l'ingrat qui l'a repoussée par fidélité à Floronde (*L'Heureux Naufrage,* V, 5). C'est plutôt une sorte d'attendrissement devant l'amour réciproque de ces deux jeunes gens dont chacun veut mourir pour sauver l'autre, qui pousse Rosemonde à pardonner au prince dont elle avait juré la mort et à l'unir à sa fille Argénie (*Le Prince déguisé,* V, 9). C'est aussi la compassion, à laquelle se joint l'affection paternelle, qui, dans la *Dorinde* d'Auvray, fait renoncer Gondebaut à sa vengeance —

> « La pitié fait sortir des larmes de mes yeux » —

alors que, dans la pièce de Mairet, c'est une véritable émulation généreuse qui, devant l'abnégation d'Arimand et de Bellaris, détermine le roi burgonde à dominer sa passion et à pardonner à son rival. Enfin la raison et la justice, le sentiment paternel et aussi la politique interviennent dans le dénouement de *Tyr et Sidon* : le plaidoyer de Belcar, la prière de Méliane, les arguments de Phulter — un gendre aussi valeureux lui sera utile pour remplacer Léonte — détermineront le cruel Pharnabaze à renoncer à venger la mort de son fils et à donner Méliane au prince sidonien.

Quant à ceux qu'une rivalité amoureuse ou une question

d'honneur a dressés l'un contre l'autre, s'ils sont « généreux »[26], ils finissent également par se réconcilier. Dans *Le
Trompeur puni*[27] ou dans *Orante,* de Scudéry, le rival, que le
héros a sauvé d'un guet-apens, s'efface et lui laisse la maîtresse
qu'il lui disputait ; et les « généreux ennemis » de Scarron,
après avoir rivalisé de courtoisie chevaleresque, renoncent à se
couper mutuellement la gorge pour satisfaire au « point d'honneur » et épousent chacun la sœur de l'autre.

Ainsi, après des péripéties plus ou moins nombreuses selon
qu'on a affaire à une tragi-comédie d'aventures ou à une tragi-
comédie politique ou domestique, plus concentrée, les forces
qui s'opposaient au bonheur des héros disparaissaient : les
adversaires perfides sont éliminés et les rivaux généreux s'effacent ; les usurpateurs sont châtiés tandis que les princes
légitimes se laissent attendrir ; les accusations mal fondées
tombent et les imposteurs reçoivent la mort qu'ils méritent, à
moins qu'un repentir opportun leur vale leur pardon ; des
reconnaissances arrivent à point pour rendre les conditions
égales et supprimer les barrières sociales ; les amants désespérés
retrouvent celle qu'ils pleuraient et les belles abandonnées
ouvrent leurs bras au volage repentant. Il y a bien, çà et là,
quelque note tragique — l'inconstance de Clarimant fait
plusieurs victimes (*L'Inconstance punie*) ; Bélisaire, dans la
pièce de Rotrou, est justifié trop tard ; Calirie doit employer un
moyen bien cruel pour garder Oronte (*La Célidée*) — certaines
femmes « laissées pour compte »[28] doivent sans doute se résigner malaisément. Mais le spectateur trouve le châtiment des
méchants justifié, pense que les délaissées trouveront l'amour
dans le mariage auquel elles doivent se résigner et, préoccupé

26. Les rivaux déloyaux, eux, ont en général une fin tragique : ils sont tués
en duel ou ils tombent dans le guet-apens qu'ils avaient tendu à leur adversaire.
27. Dans la deuxième partie de la pièce, du moins. Les trois premiers
actes se terminent, eux, par la mort du rival déloyal, qui avait tenté par ses
manœuvres de brouiller Arsidor et Nérée.
28. Citons Lorise (*L'Infidèle Confidente*), Cloriandre *(La Généreuse Allemande)*, Hippolite *(Lisandre et Caliste)*, Céphalie *(L'Heureux Naufrage)*,
Dorise *(Clitandre)*, etc.

avant tout du sort des amants sympathiques, dont il a suivi avec anxiété les tribulations, se réjouit sans arrière-pensée de leur union heureuse, qui termine la quasi-totalité des tragi-comédies.

LES SITUATIONS TYPIQUES DE LA TRAGI-COMEDIE

1° Naissance de l'amour.
Le coup de foudre. L'amour né à la vue d'un portrait.

2° L'approche et la conquête.
— Déguisement et travesti.
— L'exploit, pour « mériter » la belle.
— La violence : le viol (interrompu) ; l'abus de pouvoir.

3° Les obstacles.
— L'opposition d'un père (par intérêt ou politique).
— Rivaux et rivales :
renoncement ;
procédés déloyaux, duel, guet-apens ;
rivales machiavéliques (séduction, mensonge, calomnie, « perdre la rivale et l'ingrat »).

4° La crise.
— Devant l'opposition paternelle ou la tyrannie : la fuite.
— Devant les avances d'un(e) autre : fidélité/inconstance (la reconquête du volage : travestis).
— Devant la perte d'un être cher :
— effacement courageux ;
— désespoir ; folie ; suicide ;
— lutte (retrouver la belle ; éliminer le rival).
— Duel judiciaire et combat singulier : prouver l'innocence du héros et montrer le bon droit. Champions inconnus et guerrières héroïques.

5° Le dénouement.
- Elimination des adversaires : mort, renoncement, « change ».
- « Reconnaissance », qui supprime barrières sociales et obstacles familiaux.
- Retrouvailles : retour du héros ou de l'héroïne qu'on croyait mort.
- Justification.
- Repentir et pardon, réconciliation : volages pardonnés, princes attendris, rivaux réconciliés.

CHAPITRE III

Dramaturgie

LA TRAGI-COMÉDIE ET LES RÈGLES

La tragi-comédie, dont les sujets, souvent tirés de romans, en gardaient dans la mesure du possible les péripéties et les aventures variées, qui voulait satisfaire aussi « un peuple impatient et amateur de changement et de nouveauté[1] », était évidemment le genre le moins susceptible de se plier aux règles du classicisme : unités d'action, de temps et de lieu, séparation des genres, vraisemblance, bienséances. De fait, alors que, avec quelques accommodements, la pastorale dramatique, dès 1630[2], puis la tragédie et la comédie, vers les années 1634-1636[3], acceptent les règles, la tragi-comédie apparaît comme « la citadelle des irréguliers[4] ».

En 1628, la célèbre Préface de *Tyr et Sidon*, où Ogier s'élevait contre l'unité de temps et préconisait le mélange des « choses graves avec les moins sérieuses », exprimait la conception dominante contre ceux qui voulaient réformer le théâtre au nom des Anciens. Mais en 1630-1631 encore, alors que Mairet a donné, avec sa *Silvanire*, l'exemple d'une pastorale « régulière », et que, dans une préface retentissante, il s'est fait l'ardent défenseur des trois unités, alors que Chapelain a écrit à Godeau sa fameuse « lettre sur les 24 heures », Mareschal

---

1. Ogier, *Préface* de *Tyr et Sidon*.
2. *Préface de Silvanire.*
3. Préface de *La Mort de César*, de Scudéry ; dédicace de *La Suivante* ; de P. Corneille ; préface de *L'Esprit fort*, de Claveret.
4. L'expression est de René Bray, *La formation de la doctrine classique en France*, p. 329.

et Scudéry rejettent encore ces règles qu'on veut imposer au théâtre. «Nous autres prenons du lieu, du temps et de l'action ce qu'il nous en faut..., en surprenant les esprits par des accidents, qui sont hors d'attente et non point hors d'apparence», déclare le premier dans sa préface à *La Généreuse Allemande* (deuxième journée), tandis que Scudéry, tout en affirmant qu'il connaît les règles, entend se «dispenser de ces bornes trop étroites» (*A qui lit*, dans *Ligdamon et Lidias*). Et en 1632, dans l'Avis qui précède son adaptation de l'*Aminta* du Tasse, Rayssiguier constate que «la plus grande part de ceux qui portent le teston à l'Hôtel de Bourgogne, veulent que l'on contente leurs yeux par la diversité et changement de la face du théâtre, et que le grand nombre des accidents et aventures extraordinaires leur ôtent la connaissance du sujet».

Même lorsqu'ils prétendent se soumettre aux règles, les auteurs de tragi-comédies ont bien du mal à le faire. Corneille se flatte d'avoir, dans *Clitandre*, observé l'unité de jour, mais au prix de combien d'invraisemblances! Il déclare d'ailleurs dans sa préface qu'il a seulement voulu montrer qu'il connaissait les règles, sans se déclarer converti. Et si, en 1634, Mairet applique dans sa *Virginie* la règle des 24 heures, «ce n'a pas été sans peine», confie-t-il à son lecteur, qu'il a pu «restreindre tant de matière en si peu de vers». Pendant des années encore, la tragi-comédie prendra avec les unités de lieu et d'action les plus grandes libertés, et ce n'est qu'après 1642 que, selon Lancaster, l'unité d'action n'est «jamais violée de façon considérable[5]». Quant à la liaison des scènes, elle ne sera jamais adoptée complètement par des dramaturges qui aiment multiplier les épisodes et varier les tableaux pour le plaisir du spectateur.

L'ACTION

On a déjà signalé le goût du public des années 1630 pour les intrigues complexes, mouvementées, riches en événements

5. *Op. cit.*, Part. II, II, p. 624.

imprévus, comme celles qu'il trouvait dans les romans d'aventures contemporains. Aussi les dramaturges vont-ils, dans leurs tragi-comédies, multiplier les péripéties et les rebondissements, à moins qu'ils n'entrecroisent ou ne fassent se succéder plusieurs intrigues.

Très proches encore de leurs sources romanesques, un certain nombre de tragi-comédies se présentent comme une succession d'épisodes qu'on pourrait prolonger à volonté. C'est évidemment le cas de *Théagène et Cariclée*, où Hardy, suivant fidèlement Héliodore, représente les malheurs successifs qui s'abattent sur les deux amants et retardent sans cesse leur bonheur[6]. Beaucoup d'autres tragi-comédies des années 1630 sont bâties sur le même modèle. Le *Clitophon*, de Du Ryer, a une longueur normale, mais la pièce conserve la plupart des épisodes du roman grec[7] dont elle s'inspire — naufrage, séparation, capture, sacrifice humain, rival, rapt et « fausse mort », amour d'une femme pour le héros, vengeance du mari —, tout cela en cinq actes ! *Argénis et Poliarque*, également de Du Ryer, après nous avoir montré un roi de France réussissant, sous un travesti, à séduire une princesse sicilienne et à éliminer un rival, nous fait assister, dans une seconde journée, à de nouvelles péripéties, où deux rivaux sont successivement tués par le héros, tandis qu'un troisième, se découvrant le frère de l'héroïne, s'efface évidemment et permet ainsi le mariage des amants. On est loin, dans ce genre de pièces, de la « crise » unique de la tragédie classique. Un obstacle est à peine surmonté qu'un autre péril surgit, qui est à son tour suivi d'un troisième, et ainsi de suite, au gré du dramaturge, qui satisfait ainsi un public avide d'émotions et de « suspense », qui parfois aussi semble entasser les épisodes pour « remplir » les cinq actes de sa pièce.

C'est bien en effet l'impression que nous donnent certaines de ces tragi-comédies. La *Madonte*, d'Auvray, aurait pu ne

---

6. Voir chap. II, p. 50.
7. *Clitophon et Leucippe*, attribué à Achille Tatius. Le texte, traduit, est reproduit, ainsi que *Théagène et Cariclée* , dans les *Romans grecs et latins*, éd. P. Grimal, Gallimard (Bibl. de la Pléiade).

conserver qu'une partie des aventures des protagonistes telles qu'elles sont racontées dans *L'Astrée* : mais le dramaturge n'en sacrifie aucune. Après les calomnies de Lériane qui brouillent Damon et Madonte et provoquent un duel entre le héros et son rival prétendu, suivi d'une tentative de suicide, Lériane, encore insatisfaite et cherchant un « crime tout nouveau », accuse sa rivale d'avoir eu un enfant de Thersandre et la fait condamner à mort. Cette double vengeance aurait pu suffire à faire une pièce déjà bien remplie ; mais l'intrigue ne s'arrête pas là : après qu'un duel judiciaire et les aveux de la véritable mère ont innocenté Madonte, nous voyons Damon se battre contre un cavalier insolent, combat suivi d'une échauffourée générale où Thersandre meurt en portant secours au héros, finalement réconcilié avec sa belle. Voilà bien des événements pour une seule pièce !

Même des dramaturges avertis comme Scudéry ou Rotrou écrivent encore des tragi-comédies « à tiroirs ». *Ligdamon et Lidias*, avec ses deux couples d'amants séparés, non seulement comporte deux actions, mais la série des mésaventures du principal héros[8] relève plus du roman d'aventures — la pièce s'inspire d'un épisode de *L'Astrée* — que de l'esthétique dramatique. Et *Le Trompeur puni*, où Scudéry, craignant sans doute de manquer de matière, « contamine » deux sources, *L'Astrée* et *Polexandre*, comporte encore deux actions successives[9]. Rotrou aussi, après une première pièce relativement simple[10], multiplie, dans *Cléagénor et Doristée*, les péripéties romanesques. Quant aux *Occasions perdues*, la multiplicité des intrigues et des quiproquos qui s'y succèdent, rendent la pièce impossible à résumer.

Toutefois, même si les dramaturges gardent une prédilection pour les intrigues complexes, l'influence des théoriciens

---

8. Désespéré de la froideur de Silvie, Ligadamon tente de se suicider, puis il se bat en duel, est arrêté et jeté aux lions ; sauvé par Amérine, qui veut l'épouser, il s'empoisonne pour rester fidèle à Silvie, etc.

9. Le stratagème de Cléonte pour brouiller les deux amants (actes I, II et III), la rivalité avec Alcandre, qui finit par s'effacer (actes IV et V).

10. *L'Hypocondriaque.*

et l'évolution du goût vont les amener à rechercher une plus grande concentration dramatique et à renoncer peu à peu aux pièces « à tiroirs » et à épisodes multiples. En suivant l'évolution du genre, on discerne très bien un effort d'unification de l'action, qui prend des formes très diverses selon les dramaturges et selon les œuvres.

Dans les tragi-comédies « à épisodes », la seule unité consistait dans l'existence d'un couple d'amants persécutés, personnages centraux de la pièce, concentrant sur eux l'intérêt et la sympathie du spectateur, qui les suit à travers toutes leurs épreuves. C'est encore une unité de ce genre que nous pouvons accorder à la *Dorinde*, d'Auvray, où au cours des multiples péripéties romanesques de la pièce — passion du roi Gondebaut pour l'héroïne ; fuite de celle-ci ; évasion de son amant, le prince Sigismond ; capture et délivrance de la jeune fille ; siège de Marcilly, où les amants ont trouvé refuge ; combat singulier entre Sigismond et Polémas ; pardon de Gondebaut —, l'intérêt du spectateur ne se détourne pas un instant du couple d'amants, dont les aventures le tiennent constamment en haleine. C'est encore notre sympathie pour les protagonistes qui assure l'unité — relative — d'une tragi-comédie comme *Lisandre et Caliste*, de Du Ryer, qui, malgré un début *in medias res*, n'est encore qu'une série d'aventures, à peine reliées par l'intérêt qu'on porte à la vie et à l'union des amants.

Mais la tragi-comédie suivante de Du Ryer, *Alcimédon*, probablement écrite en 1632, marque un effort conscient de l'auteur pour lier entre eux les différents fils de l'intrigue. A l'action principale — l'amour du héros pour Daphné, contrarié par la passion jalouse de Rodope —, s'ajoutent en effet au moins deux actions secondaires : l'amour de Tyrène pour Daphné, qui le fait désobéir à Rodope, lorsqu'elle lui demande de tuer sa rivale, et l'attentat monté contre Alcimédon par Géron, un serviteur de Rodope. Mais ces actions secondaires se greffent, pour ainsi dire, sur l'action principale : c'est par dépit de se voir préférer une rivale que Rodope demande à Tyrène d'assassiner celle-ci, ordre que les sentiments du gentilhomme pour la jeune fille l'empêchent d'exécuter, ce qui fait croire à

Alcimédon que sa maîtresse est infidèle ; et l'attentat de Géron donne à Daphné l'occasion, en lui sauvant la vie, de prouver sa fidélité à son amant.

Ailleurs, et le cas est fréquent dans les tragi-comédies écrites en 1634-1639, une certaine unification de l'action est obtenue en faisant dépendre l'intrigue secondaire de l'intrigue principale[11]. C'est le cas, bien connu, du *Cid*, où les espoirs de l'infante, secrètement éprise du héros, augmentent ou diminuent en fonction des obstacles qui séparent Rodrigue et Chimène, mais sont sans effet sur le sort des deux protagonistes. Plus généralement, c'est la situation qu'on trouve dans les tragi-comédies où une intrigue amoureuse secondaire dépend de l'issue de l'intrigue principale, selon le schéma de la « chaîne d'amants », si fréquent dans la pastorale, et qu'on peut représenter symboliquement ainsi :

$$A \rightarrow B \rightarrow C \rightarrow D$$

intrigue principale   intrigue secondaire

On voit clairement par ce schéma que les espoirs de D d'épouser C ne se réaliseront que si A et B restent unis, malgré les efforts de C pour les brouiller et pour séduire B. On trouvait déjà cette structure dans la tragi-comédie de Pichou, *les Folies de Cardenio*,

Cardenio → Luscinda → Fernando → Dorotea

où le volage Fernando, ne pouvant obtenir le consentement de Luscinda — elle s'évanouit au moment de prononcer le oui sacramentel —, revient à Dorotea, tandis que Cardenio retrouve Luscinda, dont la perte l'avait rendu fou. On la retrouve encore — si l'on fait abstraction de l'histoire de la

11. C'est là, comme J. SCHERER l'a fort bien montré, une conception erronée de l'unité d'action, car l'intrigue secondaire, dépendant de la principale, peut être supprimée sans inconvénient, puisqu'elle n'a pas d'influence sur cette intrigue principale (c'est le cas du *Cid*). Pour qu'il y ait véritablement unité d'action, il faut au contraire que l'intrigue principale dépende des intrigues secondaires, comme l'exposera Marmontel au XVIIIᵉ siècle. Voir J. SCHERER, op. cit. p. 100 sqq.

vengeance d'Argire contre le roi Policandre qui l'a jadis abandonnée, ce qui constitue une autre action, qu'on oublie après le
premier acte jusqu'au dénouement —, dans le *Cléomédon* de
Du Ryer, dont l'héroïne, Célanire, aimée et éprise de Cléomédon, est aussi aimée de Céliante, que son père veut lui faire
épouser, au grand désespoir de Bélise, éprise elle-même du
jeune prince :

Cléomédon ⟶ Célanire ⟶ Céliante ⟶ Bélise

La découverte *in extremis* de la parenté entre Célanire et
Céliante — enfants du même père — permet le mariage entre
Cléomédon et Célanire, tandis que Bélise peut épouser
Céliante. On voit clairement ici que l'amour de Bélise pour
Céliante — intrigue secondaire — n'influe aucunement sur
l'intrigue principale. Même structure encore dans *L'Heureuse
Constance*, de Rotrou :

Alcandre ⟶ Rosélie ⟶ le roi de Hongrie ⟶ Arthémise,

où le roi, dont une brusque tocade pour Rosélie avait failli
brouiller le couple d'amants, s'éprend aussi brusquement de la
reine Arthémise qu'il devait épouser au début de la pièce ; ou
dans *Les Deux Pucelles*, où Léocadie, pour laquelle Dom
Antoine avait eu quelque faiblesse, se console avec Alexandre,
lorsque Dom Antoine revient à Théodose.

Cette structure, extensible, peut même admettre une troisième intrigue, dont l'issue dépendra des deux autres, par une
sorte d'effet de ricochet. Ainsi, dans la *Célidée* de Rayssiguier,
selon la réussite ou l'échec de l'amour des protagonistes, deux
autres couples pourront, ou non, se former, chacun des
personnages de la « chaîne » en aimant un autre qui ne l'aime
pas, selon le schéma :

A ⟶ B ⟶ C ⟶ D ⟶ E ⟶ F
Oronte ⟶ Calirie ⟶ Alidor ⟶ Cintille ⟶ Mélissée ⟶ Florintor.
(Alcandre)

La décision héroïque de Calirie, qui se défigure avec

un diamant, lui permet de s'assurer de l'amour d'Oronte, qu'elle épousera, et éloigne d'elle Alidor, qui n'aimait que sa beauté et reviendra à sa maîtresse Cintille, tandis que Mélissée, qui s'était méprise sur le sexe de Cintille, accepte d'épouser Florintor.

Une autre façon de concilier le goût pour les péripéties et l'exigence classique d'unité consiste à répéter sous des formes diverses ou avec des exécutants différents une même action, la situation conflictuelle initiale demeurant inchangée. On rencontre ce procédé dans plusieurs tragi-comédies où le héros est en butte à l'hostilité d'un adversaire — rival, femme jalouse, envieux —, qui multiplie les tentatives pour perdre celui qu'il déteste. Dans *Bélissaire,* Rotrou nous montre les efforts de Théodose, femme de Justinien, pour perdre celui qui l'a dédaignée : successivement Léonse, puis Narsès, puis Philippe, soudoyés par elle, tentent de tuer le héros, mais reculent au dernier moment devant le crime ; elle-même ne réussit pas à l'assassiner pendant son sommeil ; et ce n'est qu'à la cinquième tentative, en l'accusant calomnieusement d'avoir voulu la séduire, qu'elle obtient de l'empereur le supplice de Bélissaire — autant de péripéties qui tiennent le spectateur en haleine — le héros va-t-il succomber ? —, sans que la situation initiale soit modifiée, chaque tentative de meurtre n'étant que la manifestation de la haine que Théodose porte au favori. L'action est donc une, malgré la pluralité des péripéties.

Quinze ans après la pièce de Rotrou, Quinault recourra encore au même système : *Les Coups de l'Amour et de la Fortune* nous montrent toute une série de procédés déloyaux par lesquels Lothaire essaie de perdre le héros, Roger, dans l'esprit de la comtesse de Barcelone, jusqu'au moment où son imposture est démasquée. De même, l'action d'*Amalasonte* n'est que la succession des perfidies ou des crimes de l'ambitieux Clodésile et de sa sœur Amalfrède qui, par envie ou par jalousie, tentent vainement de perdre Théodat, le favori de la reine. Toutes les pièces de ce genre parviennent, par la répétition d'actes analogues qui laissent inaltéré le schéma actantiel inital, à maintenir le « suspense » — à chaque nouveau péril couru par le héros, on tremble pour lui —, tout en préservant l'unité d'action. On voit aussi le caractère artificiel de ces tragi-comédies « à tiroirs », où l'on a l'impression que cette série de périls pourrait s'allonger à volonté.

Mais dès 1635-1636, on trouve des tragi-comédies dont l'action, cette fois, est vraiment unifiée, et où l'intrigue principale est déterminée par l'intrigue — ou les intrigues — secondaire(s), qu'on n'en peut donc détacher. Déjà, dans *Agésilan de Colchos* (1635-1637), de Rotrou, le dénouement de l'intrigue principale — Agésilan épouse Diane, dont il était épris —, n'est possible que parce que le héros a livré à Sidonie, la mère de Diane, l'infidèle Florisel, dont elle voulait se venger — intrigue secondaire —; cependant, son goût pour les « épisodes » et l'influence de l'*Amadis*, dont il s'inspirait, ont amené Rotrou à ajouter à cette action un certain nombre d'incidents — duel entre Florisel et un autre prétendant à la main de Diane, rodomontades de Rosaran, défi de l'arrogant Artaxarte —, qui la compliquent inutilement. En revanche, *L'Innocente Infidélité*, qui est de la même époque, respecte parfaitement l'unité d'action : l'intrigue secondaire — le rapt manqué de Parthénie par Clarimond — sert à amener le dénouement, puisque c'est grâce aux aveux de la complice de Clarimond, Clariane, qu'on découvre le secret de l'anneau magique qui a détourné le roi de son épouse légitime pour l'indigne Hermante, si bien que le prince, désabusé, revient à sa fidèle Parthénie. *Le Prince déguisé* (1634-1636), de Scudéry, dont d'Aubignac admirait la « belle intrigue », est aussi, en dépit de ses situations romanesques, un exemple d'action unifiée : la jalousie de la femme du jardinier qui, pour se venger de Cléarque qui l'a dédaignée, dénonce à la reine les relations coupables du jeune homme et de la princesse Argénie — intrigue secondaire —, est la cause directe du dénouement de l'intrigue principale : pour sauver Argénie, Cléarque, révélant son identité, se déclare seul coupable et livre sa tête à la reine Rosemonde qui, fidèle à son serment, lui donne sa fille.

Après 1636, la plupart des tragi-comédies ont une action unifiée ; mais le goût pour les intrigues « implexes » persiste encore longtemps. Il se manifeste par exemple dans le dédoublement, inutile, de certains rôles : «l'amant libéral» de Scudéry doit arracher Léonise au cadi Ibrahim et à *deux* bachas, Hali et Hazan, et l'amour d'Halime pour Léandre est la réplique de la passion du cadi, son mari, pour l'héroïne ; dans *Téléphonte*, de Gilbert, le héros doit tuer non seulement l'usurpateur Hermocrate, qui veut épouser sa mère, mais aussi le fils du tyran, qui est épris de sa maîtresse. Beaucoup de dramaturges ne peuvent s'empêcher d'ajouter une intrigue amoureuse supplémentaire au conflit principal : dans *Eudoxe*, de Scudéry, on conçoit que l'amour de Thrasimond, fils de Genséric, pour la fille de l'impératrice, soit utile à l'action principale — Thrasimond tente d'empêcher l'affreux chantage du roi vandale sur sa captive — ; mais à quoi bon ajouter à cette action déjà complexe l'idylle entre Olimbre et la jeune Placidie, si ce n'est par une fidélité excessive au roman ou par cette manie du dédoublement que nous signalions tout à l'heure ? Et pourquoi, dans *Scipion*, Desmarets complique-t-il la rivalité amoureuse de Lucidan et de Garamante auprès d'Olinde, en faisant intervenir la princesse Hyanisbe, paraissant travestie pour reconquérir son amant infidèle, ou en rendant Scipion lui-même amoureux d'Olinde ?

Certaines tragi-comédies, sans doute, ont une action relativement simple et restreinte à un petit nombre de personnages. *Edouard*, de La Calprenède, où l'intrigant Mortimer, âme damnée de la reine-mère, essaie vainement de perdre Elips dans l'esprit du roi d'Angleterre, ou bien *Théodore, reine de Hongrie,* de Boisrobert, dont l'héroïne, accusée calomnieusement par son beau-frère dont elle a repoussé les avances, périrait sans le secours d'un serviteur, qui la rend au mari repentant, une fois son innocence reconnue, sont de bons exemples de tragi-comédies d'une simplicité toute classique. On pourrait citer encore bon nombre d'œuvres contemporaines respectant l'unité d'action : *L'Amour tyrannique*, de Scudéry — si l'on excepte l'intervention de Troïle, non préparée, au dénouement — ; *Marguerite de France*, de Gilbert ; *Parthénie, Clarimonde, Cariste,* de Baro ; *Blanche de*

Bourbon, de Regnault ; *Venceslas,* de Rotrou ; *La Folie du Sage,* de Tristan ; *Sigismond, duc de Varsau,* de Gillet, etc. On voit donc que les nouveaux dramaturges, obéissant aux unités, unifient l'action de leurs pièces, et que leurs aînés, un Rotrou, un Scudéry, se soumettent aux règles à leur tour.

Mais, même si les unités réussissent finalement à s'imposer à la tragi-comédie, le goût pour les actions complexes, où plusieurs fils s'enchevêtrent et où se succèdent péripéties et coups de théâtre, demeure encore vivace. Boisrobert, qui respecte l'unité d'action dans *Théodore,* viole cette même unité dans *Cassandre, comtesse de Barcelone* (1656), en ajoutant au drame poignant des amants — Astolfe et Cassandre, qui sont peut-être frère et sœur, pourront-ils s'aimer ? — la rivalité bouffonne de Moncade et de Pedro de Aragon auprès de la sœur du héros. Et en 1666 encore, Thomas Corneille complique la belle histoire de Séleucus, renonçant à son amour pour Stratonice par tendresse pour son fils, qui en est aussi épris, avec l'intrigue amoureuse de Tigrane et d'Arsinoé. Au fond, les contraintes qu'imposaient les unités, ne convenaient pas à un genre qui prétendait représenter sur le théâtre les situations piquantes et les péripéties toujours renouvelées du roman.

LES UNITÉS DE TEMPS ET DE LIEU

Ce même goût du public et des auteurs pour la multiplicité et la variété des péripéties explique aussi la difficulté de la tragi-comédie à se soumettre à l'unité de lieu. Les dramaturges l'ont longtemps ignorée. Hardy, dans *Gésippe,* nous transporte d'Athènes à Rome, et l'action d'*Elmire* se déroule en Allemagne, à Rome, en Egypte : « il ne s'est jamais vu une si longue pérégrination que celle que cet ouvrage contient », remarque Sarrazin dans son *Discours sur la Tragédie.* Dans *Tyr et Sidon,* où une guerre oppose deux pays, l'action se déroule alternativement dans l'un et l'autre. Du Ryer place l'intrigue d'*Argénis* en France et en Sicile ; son *Clitophon* nous conduit d'Alexandrie à Ephèse. Ce droit d'utiliser plusieurs lieux, A. Mareschal le revendique dans sa préface à *La Généreuse Allemande :*

« Qu'ils (les théoriciens) soutiennent encore que la scène ne connaît qu'un lieu et que, pour faire quelque rapport du spectacle aux spectateurs, qui ne remuent point, elle n'en peut sortir qu'en même temps elle ne sorte aussi de la raison, j'avouerai que la mienne passe de Bohème en Silésie. »

Sous l'influence de ces théoriciens pourtant, à l'exemple aussi des autres genres — dans *La Silvanire*, de Mairet, « on ne change jamais de scène » (Préface) —, les dramaturges vont prendre un peu moins de libertés avec l'unité de lieu. Alors que dans *Clitandre*, Corneille étendait cette unité « jusques aux lieux où l'on peut aller dans les 24 heures » (Préface de *La Veuve*), le lieu de *La Suivante* « n'a pas plus d'étendue que celle du théâtre » (Dédicace, 1637). C'est en effet vers les années 1635-1637 que l'unité de lieu commence à s'imposer au théâtre.

Mais les auteurs se réservent le droit de représenter des lieux assez voisins, comme par exemple différents endroits d'une même ville. Scudéry, qui blâme la pluralité et l'imprécision des lieux où se déroule l'action du *Cid (Observations),* reconnaît que, dans son *Prince déguisé*, le lieu « change cinq ou six fois » ; un théoricien comme La Mesnardière, encore en 1639, admet fort bien que le lieu de l'intrigue soit « une ville tout entière », où le décor simultané permet de représenter plusieurs endroits différents (*Poétique*) — laxisme qui indigne Ménage ou Sarrazin[12].

En fait, après 1640, le lieu de la plupart des tragi-comédies tend à se concentrer. Parfois, une mise en scène ingénieuse aide à cette concentration, comme dans *L'Amour tyrannique*, de Scudéry, où le décor — les murs d'une ville assiégée — permet aux assiégeants et aux assiégés de parler tour à tour, sans changement de lieu. Surtout, le nombre croissant des « tragi-comédies de palais » résout la question, puisque l'intrigue se développe à l'intérieur d'un palais où passions et ambitions s'affrontent dans un huis-clos oppressant. Quelques pièces,

---

12. MÉNAGE le juge « trop libéral » (*Discours sur l'Héautontimoroumenos),* et SARRAZIN estime que, si la scène est « en une seule ville, mais non en un seul lieu », « on ne sait si les acteurs parlent dans les maisons ou dans les rues » (*Discours sur la Tragédie).*

néanmoins, s'en tiendront encore à la conception large de l'unité de lieu — une ville et ses environs immédiats : l'action de *L'Ecolier de Salamanque* (1654) se passe dans plusieurs endroits de Tolède, tout comme l'intrigue des *Coups d'Amour et de Fortune* (1656) se déplace dans différents lieux de Barcelone.

L'établissement de l'unité de temps, qui se heurte aux mêmes difficultés, a une histoire analogue. D'abord ignorée jusque vers 1630 — *La Force du Sang*, de Hardy, suppose un intervalle de sept ans entre le début et l'heureux dénouement ; *Tyr et Sidon, Clitophon, Dorinde, La Généreuse Allemande* demandent nécessairement plusieurs mois —, elle cherche à s'imposer à ce moment : Mairet la respecte dans *Silvanire*, et Chapelain en fait la théorie dans sa fameuse *Lettre* à Godeau. Mais, pendant quelques années, les dramaturges ne se sentent pas obligés de la respecter — Du Ryer l'applique dans *Alcimédon*, mais non dans *Cléomédon* ; Mairet, qui s'était fait le défenseur de la règle dans la pastorale ou la tragédie, donne en 1642 une *Athénaïs* dont l'action dure au moins neuf jours ; Rotrou ne respecte la règle que dans six des douze pièces qu'il compose entre 1630 et 1636 —, ou bien, tentant de concilier le respect de la règle et le goût des aventures variées, ils entassent en un jour une foule de péripéties et d'incidents, au mépris de toute vraisemblance. C'est ce que fait Corneille dans *Clitandre*, pièce qu'il reconnaît lui-même « pleine d'incidents » (*Examen*), ou Mairet, dans sa *Virginie*, où — il l'avoue dans l'Avertissement — il a eu beaucoup de peine à conserver la « variété des effets » tout en respectant l'unité de jour. Et même si l'action du *Cid* peut tenir en 24 heures, ou un peu plus — du début de l'après-midi, quand s'achève le conseil du roi, jusqu'au soir du jour suivant, où Dom Fernand annonce sa décision aux amants —, on a tout de même là, comme le remarquait ironiquement Scudéry, « un jour bien employé ».

Néanmoins, même si l'anonyme *Traité de la disposition du poème dramatique et de la prétendue règle des 24 heures* estime encore que « les sujets composés, c'est-à-dire ceux qui comprennent plusieurs actions » ne sont pas tenus de respecter l'unité de temps, et que c'est d'abord le sujet « qui doit déterminer la durée de l'action », la cause de l'unité de jour est à peu près gagnée après *Le Cid*. La simplification de l'action et la concentration de l'intrigue dans un lieu unique permettront aux dramaturges de faire entrer sans effort leur matière dans le cadre prescrit.

LES PERSONNAGES. TYPES ET EMPLOIS

Le public du temps cherchait plus dans les tragi-comédies la diversité des incidents et une agréable « suspension » que des analyses fouillées des états d'âme ou des motivations profondes des héros. Cela explique qu'il y ait peu de « caractères » dans ce genre de pièces, et que les personnages soient généralement des « types » assez sommaires, ou encore des « emplois », auxquels leur fonction dans l'intrigue confère les mêmes traits conventionnels. Toutefois l'introduction des unités, en obligeant le dramaturge à concentrer l'intrigue, amènera aussi un approfondissement de la psychologie.

LES AMOUREUX

Amoureux et amoureuses sont généralement au centre des tragi-comédies. Ce sont eux qui ont d'emblée la sympathie du spectateur ; ce sont les contrariétés qu'ils éprouvent dans leur amour qui forment le nœud des pièces ; et leur mariage final apportera un heureux dénouement à la plupart des intrigues.

Toujours jeunes et beaux, ils sont passionnés. Leur amour a commencé par un coup de foudre et beaucoup pourraient dire, comme Argire, dans *Cléomédon* :

« Il me vit, il m'aima ; je le vis, je l'aimai. »

Les hommes vouent une véritable adoration aux jeunes filles dont ils sont épris. « Mon ange », « mon soleil », « ma déesse », dit Cloridan en parlant de Perside (*L'Hypocondriaque*) ; Cléarque, se jetant aux pieds d'Argénie, lui déclare (*Le Prince déguisé*, III, 5) :

« Mon cœur n'adore rien que votre œil adorable ; »

et Agésilan met la belle Diane au-dessus des dieux (*Agésilan de Colchos*, III, 3). Adoration et hyperboles galantes traditionnelles chez les héros, mais qui agacent parfois leurs maîtresses, lasses de cette timidité respectueuse : non sans humour, Du Ryer prête cette réplique à Célanire que son amant adore « en tremblant » (*Cléomédon*, II, 2).

> « Si tu veux alléger les peines que je sens,
> Donne-moi de l'amour et non pas de l'encens. »

Les jeunes filles ne sont pas moins éprises que les hommes. Célanire refuse le prince qu'on lui destine par amour pour Cléomédon :

> « Je brûlerai pour lui jusqu'à me consumer,
> Ou je saurai mourir, si je ne puis l'aimer » (IV, I).

D'autres disent les tourments que leur passion leur cause : ainsi la sœur de Célanire, éprise de Céliante :

> « Je suis dedans les fers, je suis dedans les flammes,
> Et j'ignore aujourd'hui si je porte dans l'âme
> Un amour ou bien un enfer » (III, I).

Ecoutons aussi Alphrède se plaindre des tourments que lui inflige l'amour :

> « Il presse, oppresse, brûle, étouffe, désespère,
> Fait naître pleurs, soupirs, sanglots, plaintes, colère » (*La Belle Alphrède*, I, 1).

Mais, de même que l'amour rend les héros timides, la pudeur et le souci des bienséances rendent les jeunes filles sages. Malgré sa passion, Méliane se refuse à Belcar, qui se faisait pressant (*Tyr et Sidon*, II, II, 9) :

« Dompte, mon cher ami, ce déréglé désir...
Jure-moi, mon mignon, de ne plus demander
Ce que je voudrais bien, mais je n'ose accorder. »

Prudence raisonnable, car les galants, leurs désirs satisfaits, oublient souvent celles qui ont cru à leurs promesses :

« A tort avant l'hymen la fille s'abandonne »,

dit justement un personnage de Rotrou (*Agésilan de Colchos,* I, 2). Quelques malheureuses en ont fait la douloureuse expérience : Argire, qui « contenta ses vœux », a été abandonnée par Policandre (*Cléomédon,* I, 1), et Florisel, « comblé des faveurs d'une amante indiscrète », a délaissé la reine Sidonie (*Agésilan,* I, 2).

Pourtant les exemples de fidélité ne manquent pas chez les deux sexes. Belcar assure Méliane de sa constance (*Tyr et Sidon,* II, V, 2) :

« ... pour débaucher un cœur aimé de vous,
Je ne sais si Vénus serait même assez belle »,

lui déclare-t-il ; et de même, Cléomédon à Célanire (*Cléomédon,* II, 2) :

« Qui vous aime une fois vous aime incessamment,
Et qui brûle pour vous brûle éternellement. »

Ni la séparation ni les avances de Cléonice ne feront oublier Perside à Cloridan (*L'Hypocondriaque*), pas plus que les stratagèmes du roi de Hongrie ne réussiront à séparer Alcandre de Rosélie (*L'Heureuse Constance*).

Si, d'aventure, le héros a abandonné une maîtresse trop confiante, ou si, persuadé de la mort de celle qu'il aimait, il s'éprend d'une autre femme, l'infidèle, repentant, se réconcilie avec celle qu'il avait abandonnée[13], ou, retrouvant celle qu'il croyait morte, l'inconstant revient à ses premières amours[14]. Voyez la joie d'Eraste, lorsqu'il reconnaît, sous son travesti Cloris qu'il avait tant pleurée (*Amélie*, IV, 5) :

> « — Ah! Madame, est-ce vous?
> Que je bénis le Ciel, et que mon sort est doux!
> Beau sujet de mes pleurs, ma Cloris, ma lumière,
> Quoi! ce corps est pourvu de sa grâce première!
> Quel sort en ma faveur l'a fait ressusciter? »

Comme le remarque justement J. Scherer[15], le héros de théâtre doit briller par son courage et par la noblesse de ses sentiments. C'est en s'exposant sur le champ de bataille que Léonte et Belcar, les deux héros de *Tyr et Sidon*, ont été faits prisonniers ; Céliante et Cléomédon ont une vaillance égale, et le triomphe de Rodrigue sur les Mores, puis sa victoire sur Dom Sanche désarment Chimène. Ce courage des héros de la tragi-comédie est lié à la noblesse du sang, et, si un inconnu s'illustre dans les combats, on apprend au dénouement qu'il était de sang princier — c'est le cas de Cléomédon, de Dom Sanche, de Pyrandre —, et il peut épouser l'héritière du trône. Les femmes, d'ailleurs, ne le cèdent pas aux hommes en courage : les belles délaissées qui, travesties, affrontent les hasards de la route pour reconquérir un amant volage, et celles qui, sous un habit guerrier, se portent au secours de l'homme aimé ou combattent pour lui dans un duel judiciaire, ne manquent pas dans les tragi-comédies, de la Félismène de Hardy à l'Hippolite de Du Ryer (*Lisandre et Caliste*), de Camille, « la généreuse Allemande » de Mareschal, à la Cloris (*Amélie*) où à la « belle Alfrède » de Rotrou.

Mais la grandeur d'âme ne paraît pas seulement sur les champs de bataille. De beaux exemples d'abnégation — Roger

---

13. Florisel, pardonné, épouse Sidonie, et Policandre offre le mariage à Argire.
14. Lucidor revient à Angélique (*La Pèlerine amoureuse*), Eraste à Cloris (*Amélie*).
15. *Op. cit.*, p. 21-22.

payant une dette de reconnaissance en combattant Bradamante, qu'il aime, pour la donner à son rival ; Séleucus renonçant à Stratonice pour son fils ; ces rivaux qui, touchés par la
générosité de leurs adversaires, s'effacent et leur laissent la
femme dont ils sont épris — suscitent l'admiration du spectateur, séduit par le courage et l'esprit chevaleresque du héros.

RIVAUX ET RIVALES

Les rivaux n'ont pas toujours cette magnanimité, et, dans
un genre où s'opposent souvent de façon schématique le bon et
le méchant, le héros sympathique et le brutal ou le traître, le
rival est généralement le personnage antipathique, le repous-
soir du héros. C'est lui qui incarne l'obstacle au bonheur des
protagonistes.

Le dépit entraîne souvent le rival mal aimé à la violence,
soit qu'il cherche à obtenir par la force de la femme aimée ce
qu'il n'a pu obtenir par ses « soins », soit qu'il tente d'éliminer
l'homme qu'on lui préfère. Déjà, l'*Aristoclée,* de Hardy, nous
montrait un prétendant essayant d'arracher l'héroïne à son
époux et provoquant ainsi la mort de la malheureuse ; les
premières pièces de Rotrou font encore intervenir quelques-uns
de ces brutaux[16]. De même, dans *Clitandre* (IV, 1), Pymante
« veut user de force » sur Dorise, qui échappe à grand-peine à
ce forcené. Ailleurs un prince tente de contraindre celle qui a
donné son cœur à un autre : le roi burgonde Gondebaud, dans
Chryséide et Arimand ou dans *Dorinde*, le roi franc Lucidan,
dans *Le Vassal généreux*, abusent ainsi de leur puissance, sans
plus de succès.

A l'égard de l'amant qu'on leur préfère, les rivaux
emploient parfois la fourberie, faisant croire à un amant que sa
maîtresse lui accorde en secret ses faveurs (*Le Trompeur puni,
Célie*), ou s'attribuant les exploits d'un autre (*Les Coups de
l'Amour et de la Fortune*). Certains ne reculent pas devant
l'assassinat : dans *Clitandre*, Pymante tend un guet-apens à

16. Voir chap. II, p. 61.

Rosidor ; Cléonte, amoureux malheureux de la reine de Naples, attaque le roi de Sicile qu'il prend pour son rival (*Les Occasions perdues*) ; Dorismond, furieux de voir Céphalie éprise de Cléandre, soudoie trois « braves » pour assassiner le héros (*L'Heureux Naufrage*). Les femmes ne le cèdent en rien aux hommes en fourberie ou en cruauté, et nous avons signalé déjà la perfidie d'une Lériane ou d'une Amalfrède.

Qu'un désir brutal pousse un amant rebuté à la violence, ou que le dépit de se voir préférer une rivale conduise une femme jusqu'au crime, il ne faut pas s'attendre à trouver dans ces situations des analyses psychologiques un peu fouillées ou des caractères nuancés[17]. Rivaux et rivales sont avant tout des « opposants », dont les actes contrarient et retardent le bonheur des protagonistes, tantôt pendant quelques scènes, tantôt jusqu'au dénouement, où les impostures sont révélées, les crimes punis, et où les amants peuvent enfin s'épouser à la satisfaction générale.

LES PÈRES

Les pères de tragi-comédie ont aussi, la plupart du temps, une fonction d'opposants. Comme dans la comédie, par intérêt, par ambition, par le sentiment qu'ils ont de leur rang, ils font obstacle aux amours de leur fils ou de leur fille.

Ces motivations des pères auraient pu intéresser un psychologue ou un moraliste. On sait avec quelle vérité et avec quelle vigueur Molière a représenté la tyrannie possessive d'un Arnolphe ou l'avarice monstrueuse d'un Harpagon, la vanité ridicule de M. Jourdain ou l'égoïsme anxieux d'Argan, ces

---

17. Deux personnages féminins de ROTROU se distinguent parmi les rivales jalouses. Chez Théodore *(Bélissaire)*, l'ambition déçue s'ajoute à la jalousie à l'égard du favori de Justinien ; son sadisme envers sa rivale, sa haine implacable contre « l'ingrat », ses remords tardifs et son désespoir en font un personnage particulièrement dramatique. Hermiante (*L'Innocente Infidélité*) est aussi ambitieuse que jalouse ; sa cruauté envers l'épouse légitime du roi, et son absence totale de remords — qui la différencie de Théodore — donnent à cette héroïne sénéquienne une grandeur et une beauté dans le crime, qui annoncent la Cléopâtre de *Rodogune*.

pères dont la manie ou la passion fait le malheur de leurs enfants. Dans la tragi-comédie, les sentiments restent schématiques, les motivations convenues, et le dramaturge ne s'intéresse qu'aux effets qui en résultent, qu'aux désespoirs ou aux révoltes, non moins attendues, que la tyrannie des pères provoque chez les jeunes gens. On a ainsi des pères intéressés comme Aymon qui, dans la *Bradamante* de Garnier, préfère donner sa fille à Léon qu'à Roger pour ne « point débourser de finance » (II, 3), ou comme le père d'Amélie qui, dans la pièce de Rotrou, veut marier sa fille au riche Eraste plutôt qu'à Dionis, dont elle est éprise. On a aussi des pères dont l'orgueil ne saurait souffrir chez leur fils une mésalliance : tel le roi de Hongrie de *Laure persécutée*, ou cet autre roi, Anthénor, qui, dans *Cariste*, s'imagine que seule la magie peut expliquer l'attirance de Cléon pour « une vagabonde » et qui fait enfermer la jeune fille « dans la tour » (II, II).

Plus intéressants sont les pères que l'amour rend rivaux de leur propre fils. Si, chez Auvray, le roi burgonde Gondebaud dispute encore brutalement Dorinde à son fils Sigismond[18], il y a plus de vérité psychologique et plus d'émotion dans *Marguerite de France*, de Gilbert — les remords du roi Henri II, qui croit son fils mort dans le combat qu'il lui a livré, préparent la réconciliation des deux hommes et l'effacement du père —, ou dans *Antiochus*, où Th. Corneille nous peint le désarroi pathétique d'un roi partagé entre son amour et sa tendresse paternelle (V, 2). Dans ces cas, trop rares, le père cesse d'être une « fonction » et acquiert une épaisseur humaine qui le rend émouvant.

TYRANS ET MAUVAIS ROIS

Les pères contrariants sont souvent en même temps, on le voit, des rois, ce qui augmente encore leur autorité et leur

---

18. Il y a seulement l'esquisse d'un dilemne psychologique chez Gondebaud : « Contre mes passions, croirai-je la nature,
    Qui résoud ma raison à remettre une injure ?
    Dorinde, Sigismond, qui partagez mon cœur,
    Qui de vous deux enfin en sera le vainqueur ? »

pouvoir sur un fils auquel ils interdisent un mariage inégal, ou dont ils sont eux-mêmes les rivaux. Mais la tyrannie de certains de ces rois ne se manifeste pas seulement dans leurs relations avec leur fils. Les dramaturges nous montrent volontiers, en les opposant parfois aux princes vertueux, des rois belliqueux, despotiques et cruels. Ici encore, le personnage tend à devenir un type.

Jean de Schelandre opposait déjà, dans *Tyr et Sidon*, un bon et un mauvais roi : Abdolomin, roi de Sidon, souverain pacifique, cherchant, tel Grandgousier, à entretenir de bons rapports avec ses voisins, et déplorant les guerres meurtrières, et son adversaire, Pharnabaze, roi de Tyr, qui, lui, ne rêve que de combats et de conquêtes. Ce prince belliqueux est en même temps un impulsif, voulant venger sur son prisonnier Belcar la mort de son fils, ou pressant les juges de condamner à mort sa fille qu'il croit criminelle :

« Sus, allez, je le veux, que la tête on lui ôte ! » (II, IV, 6).

Le revirement de ce brutal et le pardon qu'il accorde finalement à Belcar et à Méliane sont d'autant plus étonnants ; mais il fallait un dénouement heureux à la tragi-comédie[19].

Parmi ces rois cruels, il faut placer les usurpateurs. *Arétaphile*, de Du Ryer, nous en offre un bon spécimen en la personne de Nicocrate, assassin du roi légitime, épousant par force celle dont il a tué le père, tyran cruel faisant exécuter un « sacrificateur » contestataire ou essayant sur un prisonnier le poison qui lui était destiné. Nouvel Hérode, il pardonne par amour à sa femme, qui avait effectivement tenté de l'empoisonner ; mais, mari infidèle, il trouvera la mort en allant rejoindre sa belle-sœur. On rencontre ailleurs d'autres usurpateurs sanguinaires : dans le *Téléphonte*, de Gilbert, Hermocrate, après avoir assassiné le roi Cresphonte, veut contraindre sa veuve à l'épouser et faire tuer son fils, pour assurer sa sécurité ;

19. Dans la tragédie de 1608, son innocence étant reconnue trop tard, Méliane meurt sur le bûcher, et Pharnabaze, devenu fou, est tué par Phulter.

dans le *Trasibule*, de Montfleury, le tyran Diomède, assassin lui aussi du souverain légitime, veut de même épouser sa veuve et la menace de tuer son fils, si elle refuse (IV, 2) :

> « ... il faut choisir demain
> Sa mort ou mon amour, ou sa tête ou ma main. »

L'un et l'autre périront d'ailleurs de la main du fils du roi légitime.

C'est l'amour qui avait rendu Hermocrate criminel. Les dramaturges nous montrent plusieurs rois qui, aveuglés par la passion, oublient leurs devoirs et sont prêts au crime. Rotrou nous peint, dans *L'Innocente Infidélité,* un monarque véritablement ensorcelé par sa maîtresse au point de lui sacrifier son épouse légitime. Scudéry nous présente plusieurs princes que leur passion rend violents et cruels : le roi franc Lucidan, qui tente d'enlever Rosélie à son fiancé Théandre *(Le Vassal généreux)* ; le Vandale Genséric, qui menace l'impératrice Eudoxe et force la porte de son appartement (III, 6) ; le sultan Soliman, rappelant à Isabelle qu'elle est à sa merci *(Ibrahim)* ; le terrible Tyridate, surtout, qui, épris de sa belle-sœur, Polyxène, délaisse sa femme et livre une guerre impitoyable à son beau-frère *(L'Amour tyrannique).* Son comportement, comme celui des autres tyrans, trouve sa justification dans ces maximes machiavéliques qu'il se répète à lui-même (*L'Amour tyrannique,* IV, 2) :

> « Les rois sont au-dessus des crimes ;
> Toutes choses sont légitimes
> Pour les Princes, qui peuvent tout. »

De même, le Gondebaut de Mairet (*Chryséide et Arimand*), ou celui d'Auvray (*Dorinde*), le roi sarde de Tristan (*La Folie du Sage*), Pierre le Cruel, dans *Blanche de Bourbon,* de Regnault, d'autres encore, égarés par la passion, deviennent des tyrans injustes et cruels, jusqu'à ce que la pitié, un reste d'affection paternelle, la conscience des conséquences dramatiques de leur conduite les ramènent à la raison et à un sentiment plus juste de leurs devoirs.

LE MAUVAIS CONSEILLER

Si les rois se laissent entraîner par la passion à abuser de leur puissance, ils y sont souvent poussés par des conseillers perfides. On reconnaît là une conception caractéristique du siècle, où l'on attribue volontiers la responsabilité des actes odieux commis par un souverain aux ministres qui l'ont mal informé ou mal conseillé.

On rencontre bien dans la tragi-comédie quelques types de conseillers vertueux, comme le Pharnabaze de l'*Amour tyrannique,* qui prêche la modération à Tiridate —

« Croyez-vous donc qu'un roi doive faire des crimes,
Et qu'il lui soit permis de violer sa foi,
Comme n'étant pas homme à cause qu'il est roi ? » (I, 2),

mais les Narcisse sont plus nombreux que les Burrhus dans nos tragi-comédies, et leurs maximes machiavéliques encouragent les passions et les vices des princes auxquels elles fournissent une justification spécieuse. Phulter, dans *Tyr et Sidon,* encourageait déjà l'humeur belliqueuse de son maître (II, II, 5) :

« ... l'humeur mieux séante aux monarques bien nés,
C'est d'être ambitieux, aux combats obstinés :
Les Etats sur la guerre ont fondé leurs colonnes,
La guerre, c'est la forge où se font les couronnes. »

D'autres conseillers flattent la passion de leur souverain et l'incitent à user de son pouvoir pour assouvir ses désirs. Ainsi, dans *Eudoxe,* Aspar invite Genséric à employer la violence contre l'impératrice, s'opposant à Olicharsis, le conseiller vertueux, dans une stichomythie particulièrement dramatique (II, 4).

Dans *Ibrahim,* Rustan pousse le sultan, que désespère la froideur d'Isabelle, à faire périr son rival, Ibrahim, qui a sauvé et agrandi son empire, mais que sa popularité à l'armée rend dangereux (II, 4 et IV, 2). Mortimer, le ministre du roi Edouard d'Angleterre, n'est pas moins infâme que le vizir turc : ne pouvant éloigner Elips, dont le prince est amoureux, il accuse la jeune femme de vouloir l'assassiner ; mais c'est finalement le mauvais conseiller qui est jeté en prison. La morale veut en effet que les perfides conseillers aient le châtiment qu'ils méritent, et ils ont généralement une fin tragique : Rustan est poignardé par le peuple en furie (V, 5) et Genséric plonge son épée dans le corps d'Aspar, le rendant responsable de la mort de celle qu'il aimait (III, 6).

LES GENS DU PEUPLE

A côté de ces personnages, types conventionnels ou «emplois» à la fonction bien définie, à côté aussi d'autres rôles secondaires — gentilshommes de la suite des rois, confidents, valets et suivantes, qui n'ont pas ici l'importance qu'ils ont dans la comédie —, la présence de gens du peuple — paysans, artisans, soldats, bandits — apporte à certaines scènes une note réaliste ou comique.

Si l'on met à part les « bergers » de la pastorale dramatique, les paysans sont rares dans notre théâtre, avant Cyrano et Molière. Le berger Caliris, de *L'Inconstance punie*, vient tout droit de la pastorale ; mais il n'y a guère plus de réalisme chez les paysans du *Roland furieux* de Mairet.

Le Prince déguisé, de Scudéry, met bien en scène un couple de jardiniers ; mais l'homme ne paraît guère que pour montrer un étonnement craintif devant la « magie » de Cléarque, qui tire pour lui de l'or de la terre (III, 2), et sa femme, éprise du héros, est avant tout une rivale jalouse, tentant de perdre celui qui l'a dédaignée. Quant aux pêcheurs qui, dans *Tyr et Sidon*, tirent de l'eau le cadavre de Cassandre et lui enlèvent « son argent, ses chaînes et ses bagues » (II, IV, 3), ils ne sont aussi que des comparses.

Plus intéressants sont les soldats qui, dans la même pièce,

sont payés par Zorote pour assassiner Léonte. L'un d'eux, nommé la Ruine, fait un tableau assez pittoresque de son « méchant métier » :

> « Le service est pour nous : Messieurs les capitaines
> En ont la récompense aux dépens de nos peines,
> Et, pour paraître en mine, ils nous rendent tous gueux...
> Si nous sommes vainqueurs, l'honneur en est à tous,
> Mais le fruit du travail n'en revient pas à nous :
> Le gain remonte aux chefs, la risque étant finie...
> Si nous sommes battus, chacun lèche sa plaie,
> Et tel doit au barbier deux fois plus que sa paie,
> Qui, le soir de sa montre, à peine aura de quoi
> Nourrir en sa personne un serviteur du roi...
> De fatigues sans fin nous portons le fardeau,
> A peine ayant le saoul de mauvais pain et d'eau.
> Cependant ces Messieurs veulent que pour leur plaire,
> Nous ayons l'œil gaillard, l'armure toujours claire,
> Dérouillant notre fer et dehors et dedans,
> Cependant que le jeûne enrouille tout nos dents » (I, V, I).

Ailleurs (*Chryséide et Arimand*), c'est un aubergiste qui répugne à accueillir sous son toit la belle fugitive : —

> « Nous n'avons rien de cuit et si le vin est trouble » (III, 1) —,

ou qui amuse de son verbiage les soldats qui recherchent Arimand (IV, 3). Un autre aubergiste, dans *Les Deux Pucelles* (II, 7), fait une scène de ménage à son épouse, trop sensible aux charmes de ses hôtes. Scène de ménage encore, dans *Lisandre et Caliste*, où un boucher cette fois se dispute avec sa femme à propos des fréquentes visites que Lisandre fait chez eux — ils logent en face de la prison où l'on détient Caliste.

Toutefois — influence du picaresque espagnol ? —, c'est surtout dans les scènes où paraissent des voleurs qu'on rencontre un certain réalisme dans la peinture des personnages. Un épisode de *Cléagénor et Doristée* est fort intéressant à cet égard (I, 4). On y voit deux bandits se jeter sur l'héroïne, travestie en page ; très déçus de la trouver sans argent, ils songent d'abord à tuer leur victime, mais décident finalement de l'enrôler ; l'un d'eux lui apprend le métier (II, I) :

« On admet parmi nous, pour première maxime,
Les mots de vol, larcin, meurtre, carnage, crime...
Cet art sans différence arrache à qui ne donne
Et, comme la justice, il n'excepte personne. »

Leur vie est dure : pas de jeu, ni de paresse, ni de friands repas,

« si ce n'est sur le soir,
Quand le butin du jour a suivi notre espoir. »

Alors, dit le voleur,

« nous buvons à pleins pots
La santé des archers et celle des prévôts. »

Si l'un d'eux est pris

Et qu'il faille mourir, il souffre ce désastre ;
Il sait que ce malheur à tous nous est commun
Et, s'il est généreux, n'en accuse pas un. »

Pour mettre à l'épreuve « celui » qu'ils ont enrôlé, ils le postent sur le grand chemin, avec mission d'arrêter les passants et de les appeler en cas de besoin :

« En cet endroit obscur attends l'occasion,
Et nous, qu'aucune peur désormais ne possède,
Au moindre sifflement serons prêts à ton aide[20] ».

On a là, en quelques vers[21], l'évocation assez précise de l'existence des truands et la représentation vivante d'une agression à main armée, qui annoncent les scènes pittoresques de *L'Intrigue des Filous*[22].

On retrouve des voleurs dans *L'Ecolier de Salamanque,* en prison cette fois, où, sans crainte de la mort, ils tuent le temps.

---

20. On sait que leur nouvelle recrue déjouera leur attente, en se retournant contre eux avec Théandre qu'elle a fait mine d'attaquer (II, 2).
21. D'un style malheureusement bien conventionnel : le voleur s'exprime comme un gentilhomme. Les « filous » de l'Estoile auront un langage plus populaire.
22. Voir notre édition de la comédie de Cl. de l'Estoile, STFM, Paris, H. Champion, 1977.

« A jouer, à dormir, à ne rien faire, à boire » (IV, 2).

L'un deux, Zamorin, raconte fort lestement un guet-apens auquel il a pris part et qui l'a conduit dans « la maison du roi » (IV, 3) ; puis un de ses acolytes, La Taillade, lui propose de participer à une autre agression : les deux hommes, en un dialogue rapide, préparent leur coup :

ZAMORIN. « — Que voulais-tu de moi ?
LA TAILLADE.   — Te mettre d'un marché
    Pour lequel j'ai touché mille écus à bon compte.
ZAM. — Est-ce affaire de sang ?
LA T.   — C'est pour tuer un comte,
    Le même qui te tient si bien emprisonné.
    On lui joue le tour pour un soufflet donné ;
    Un cartel de défi vers le soir nous l'amène
    Au bout du pont, où l'eau nous tirera de peine
    D'ensevelir le corps...
ZAM. — Qui seront les acteurs ?
LA T.   — Le gaucher, La Cliquette,
    Le Sévillan et moi.
ZAM.   — Vos armes ?
LA T.   — Sont à feu.
ZAM. — L'épée et le poignard assurent mieux un jeu.
LA T. — Nous aurons l'un et l'autre. »

Les personnages, ici, ne sont pas seulement des fonctions — leur rôle, assez mince, dans l'action ne demandait pas des scènes de cette étendue —, et ils nous changent agréablement des amoureux ou des pères conventionnels. Manifestement Scarron, et Rotrou avant lui, mais avec beaucoup moins de verve, se sont amusés à camper des individus pittoresques, apportant aux intrigues romanesques traditionnelles un peu de réalisme et aussi une diversion plaisante.

LA PART DU COMIQUE

En effet, du moins jusqu'à 1640 environ, les dramaturges intercalent volontiers au milieu d'épisodes héroïques quelques scènes comiques, qui détendent l'atmosphère, à moins qu'ils ne confient à un personnage bouffon ou à un comparse ironique le soin de dérider le spectateur, que les exploits ou les déclamations pathétiques du héros pourraient lasser. Ce « mélange de parties tragiques et comiques » (Mairet, Préface de *Silvanire*) était même recommandé par Ogier, au nom de la raison et de la vérité : le préfacier de *Tyr et Sidon* jugeait raisonnable « de mêler les choses graves avec les moins sérieuses » et invitait le dramaturge à prendre modèle sur « la condition de la vie des hommes, de qui les jours et les heures sont bien souvent entrecoupés de ris et de larmes, de contentement et d'affliction ». Néanmoins, tous les contemporains ne partagent pas son opinion : Desmarets refuse ce mélange, et d'Aubignac n'admet dans la tragi-comédie « rien qui ressente la comédie ». Aussi ne trouvons-nous d'éléments comiques que dans un certain nombre de pièces, et, avec le triomphe des règles et la distinction des genres, le comique disparaîtra à peu près complètement de la tragi-comédie après 1640.

Sous sa forme la plus discrète, le comique apparaît dans les répliques ironiques d'un valet ou d'une suivante, ou dans les réflexions réalistes que leur inspire la situation, contrastant avec les sentiments romanesques de leurs maîtres. Ainsi, dans *Chryséide et Arimand* (III, 2), le soliloque douloureux du héros —

« Grands dieux ! que de douleurs accompagnent ma vie ! » —

est interrompu par l'arrivée de Bellaris et sa belle humeur :

> ARIMAND. « — Ami, te voilà donc, et je te croyais mort.
> BELLARIS. — Moi mort ! Vraiment, Monsieur, vous vous trompiez bien fort :
> De dormir si longtemps je n'eus jamais envie. »

Dans *Agésilan de Colchos*, un autre valet, Darinel, se moque des prétentions de son maître, qui se croit irrésistible (I, 2) :

> « Croyez-vous regarder un objet de bon œil
> Sans tirer pour le moins une âme du cercueil ? »

Ailleurs la remarque narquoise d'une suivante contraste avec
l'émoi de sa maîtresse : Argénie, allant rejoindre Cléarque dans
un jardin, la nuit, se demande si ses femmes sont bien endor-
mies, et Philise de répondre (*Le Prince déguisé*, II, 5) :

> « Toutes par le sommeil semblaient des corps sans âme,
> Hormis la gouvernante : elle ronflait si fort
> Qu'en elle il n'était point le frère de la mort. »

Parfois un personnage, contrastant avec les amants affligés
ou héroïques, a pour fonction essentielle de déclencher le rire.
Ce peut être un rôle épisodique, réduit à quelques répliques :
ainsi l'hôte de *Chryséide et Arimand*, qui tarde à ouvrir aux
fugitifs (III, 1) ou qui feint la stupidité devant les soldats qui les
recherchent (IV, 3) ; ou encore Ménippe, le « plaisant docteur »
de *La Généreuse Allemande,* qui ne paraît qu'au début de
l'acte III (Deuxième journée).

Mais le rôle peut être plus développé. Déjà, dans *Bradamante*, Garnier campait, avec Aymon, le père de l'héroïne, un
véritable personnage de comédie. Ce père avare refuse sa fille à
Roger pour la donner à Léon, qui la prend sans dot (II, 1) ;
comme les faibles, il s'emporte facilement aussi, lorsque l'on
conteste son autorité : ses éclats font alors penser aux bravades
du Matamore. Ecoutons-le répondre à son fils Renaud, qui
soutenait Bradamante (II, 2) :

> « Et moi, je maintiendrai contre eux et contre toi
> Qu'on ne peut disposer de ma fille sans moi.
> Non, non, je ne vous crains, présentez-vous vous quatre[23],
> Je ne veux que moi seul pour aller vous combattre, »

défi héroïque, qu'un valet tourne vite en dérision :

> « Monsieur, entrons dedans, je crains que vous tombiez :

23. Roger, Roland, Olivier et Renaud.

Vous n'êtes pas trop bien assuré sur vos pieds[24]. »

Les fanfaronnades, apparemment, plaisaient au public, si l'on en juge par le nombre de pièces où paraît un capitan, depuis les farces tabariniques jusqu'à Dorimond[25]. C'est une sorte de Matamore que le Dom Quichotte de Pichou[26], dans ses *Folies de Cardenio :* cet amant grotesque est un fanfaron, qui vante sa force —

« ... l'un de mes regards peut causer cent trépas » —,

et se flatte d'avoir ensanglanté les eaux du Tage,

« qui traînent les corps morts de ceux que j'ai domptés »,

mais est en réalité un couard. Rotrou, avant le Rhinocéronte de *Clarice,* introduit deux matamores dans des tragi-comédies : Rosaran, le « cavalier extravagant » d'*Agésilan de Colchos,* qui prétend avoir épargné « cent fois » le redoutable Florisel, mais qui change de ton en sa présence (II, 2) ; et Emile, le « soldat fanfaron » d'*Amélie,* galant ridicule et couard, qui menace de loin (III, 5) —

« Il suffit de mon ombre
Pour lui faire des morts grossir le triste nombre » —,

mais qui tremble de peur, dès que son adversaire paraît, et refuse piteusement le combat.

Parmi les personnages comiques de la tragi-comédie, citons encore l'hôtesse amoureuse des *Deux Pucelles* de Rotrou. Alcione, toute émue par le charme d'un voyageur — en fait, une jeune fille travestie —, s'est déjà attiré les reproches d'un mari jaloux ; mais, un autre cavalier, tout aussi beau, demande

---

24. On connaît l'anecdote, contée par un personnage de SCARRON, de ce page, qui, chargé du rôle du valet, n'avait pu se rappeler les deux seuls vers qu'il avait à réciter, et dit :
« Vous n'êtes pas trop bien assuré sur vos jambes »,
ce qui provoque l'hilarité générale et mortifie le page (*Roman Comique,* II, 3).
25. Voir notre *Comédie avant Molière,* p. 143-155.
26. Bien différent du héros de Cervantès.

à être logé, et notre hôtesse, encore troublée, monte, au milieu de la nuit, dans la chambre où reposent les deux voyageurs, hésitant entre l'un et l'autre (II, 6) :

« La grâce est là plus douce, elle est ici plus mâle »,

contemplation qu'interrompt brutalement le mari, sarcastique :

« Enfin à qui des deux appartiendra la pomme ?
Sans mentir pour qui d'eux plus d'ardeur te consomme ?
Pour qui plus volontiers incline ton désir ?
Si tu veux, à tout prendre, il ne faut point choisir :
Possède-les tous deux, tu leur peux satisfaire. »

De telles scènes délassent agréablement des grandes tirades pathétiques où Théodose, abandonnée, déplorait son infortune, et l'on comprend que Quinault, plus tard, ait repris le personnage dans ses *Rivales*.

Mais le soin d'amuser le spectateur n'est pas toujours laissé à des comparses ou à des rôles épisodiques ; les protagonistes eux-mêmes se trouvent parfois engagés dans des situations comiques, et leur comportement peut, à l'occasion, susciter le rire. Comme dans la comédie contemporaine, le comique de situation domine. Ainsi dans ces mystifications, dont Rotrou semble s'être fait une spécialité. Déjà, dans *L'Hypocondriaque*, Aliaste, travesti, était pris par le vieil Oronte pour sa fille (IV, 4). Dans *Céliane*, l'héroïne, délaissée par Florimant pour Nise, se déguise en jardinier et couvre de caresses la jeune fille, devant l'inconstant qui assiste, caché, à l'entretien, et qui, furieux, revient à ses premières amours (V, 4-6). C'est un travesti encore qui provoque une méprise amusante dans *Amélie* : pour éprouver les sentiments de son amant, Amélie a demandé à Cloris, vêtue en cavalier, de faire semblant de la courtiser, sachant que Dionis les observe (IV, 5) ; le pseudo-cavalier se montre très empressé, Dionis, qui l'entend, s'indigne contre le séducteur, surtout lorsqu'il s'aperçoit qu'Amélie accueille favorablement ses avances :

« Je me rends, je suis prise... »

Furieux, il s'emporte contre l'infidèle, et songe à tuer son rival, avant de se donner lui-même la mort. Heureusement, on lui dévoile la supercherie, et, pour punir celle qui s'est moquée de lui, il va à son tour feindre l'inconstance devant Amélie (V, 4) :

> « Je change comme vous...
> Une autre a bien voulu ce que vous rejetez. »

Cette fois, c'est Amélie qui, ne pouvant contenir sa douleur, éclate contre l'inconstant, jusqu'au moment où Dionis la désabuse et lui apprend qu'il a feint lui aussi. On a là d'excellentes scènes de dépit amoureux, un « divertissement » — les personnages emploient le mot — avant le dénouement, sorte de « pièce dans la pièce », où les héros jouent pour leur plaisir la comédie du « change », après avoir surmonté les obstacles qui contrariaient leur bonheur.

Nous pourrions citer aussi la mystification de *Laure persécutée*, où, comme le roi s'oppose au mariage de son fils avec une femme

> « ... à ce qu'on dit, bien moins belle que vaine,
> Et qu'un œil délicat ne souffirait qu'à peine »,

Laure se présente à lui sous un autre nom et le séduit sans peine (II, 5) ; ou encore la scène burlesque de *L'Heureuse Constance* (IV, 4), dans laquelle Alcandre, peu désireux de plaire à la reine dalmate qu'on veut lui faire épouser, fait passer pour lui un valet bouffon, dont les compliments ridicules, la goinfrerie et le sans-gêne ont tôt fait d'écœurer Arthémise[27].

D'autres méprises, non provoquées cette fois, donnent également des situations piquantes. Dans *L'Heureux Naufrage,* la reine Salmacis et sa sœur Céphalie, toutes deux éprises d'un beau naufragé, demandent à Lysanor de servir leur amour :

---

27. Cette supercherie, où un valet, substitué à son maître, amuse par ses impertinences et ses incongruités, sera souvent reprise par les auteurs de comédies (Scarron, *Jodelet ou le Maître-valet*, Molière, *Les Précieuses ridicules, ...* et Marivaux, *Le jeu de l'Amour et du Hasard*).

« Travaille constamment à mettre dans son âme
Des dispositions à recevoir ma flamme, »

lui ordonne la première (III, 1) ;

« Dis-lui secrètement les vœux que je lui fais »,

lui recommande la seconde (III, 3) ; or, Lysanor est précisément, sous un travesti masculin, leur propre rivale, la maîtresse
que Cléandre chérit toujours ! Même situation dans *L'Amant
libéral*, de Scudéry, où le cadi Ibrahim charge Léandre, son
rival heureux, de parler pour lui à la belle Léonise dont il est
épris (III, 2), tandis que, dans la scène précédente, la femme du
cadi songeait à demander à Léonise de lui rendre le même
service auprès de Léandre, pour qui la jeune fille « brûle ». On
reconnaît là le motif du « rival méconnu », si fréquent dans les
comédies de l'époque[28].

Comiques aussi les situations qui résultent d'une confusion
de personnes. *Les Occasions perdues*, de Rotrou, nous font
ainsi assister à une série de méprises piquantes. Hélène, reine
de Naples, éprise de l'Espagnol Clorimand, lui écrit sous le
nom de sa sœur Isabelle également amoureuse du jeune
homme ; d'où les quiproquos des amants de ces dames, qui se
rassurent ou s'indignent à contre-temps (II, 3 ; III, 3). Plus
loin, c'est au tour des deux femmes de se méprendre : à la
faveur de la nuit, chacune croit avoir reçu chez elle Clorimand,
mais la reine est avec le roi d'Espagne et Isabelle avec Adraste
(V, 6 et 9) ; d'où leur surprise, lorsqu'elles découvrent la vérité,
et leur résignation à l'inéluctable. La pièce est une véritable
« comédie des erreurs », et la série de quiproquos nocturnes du
dénouement n'est pas sans faire penser à « la folle nuit » qui
termine le *Mariage de Figaro*.

Mystifications, méprises et quiproquos sont des procédés
assez rebattus, qui font rire, certes, mais sans grande originalité. Plus intéressantes sont les scènes, assez rares il est vrai, où
le comique vient surtout du caractère et des sentiments des

28. Voir notre *Comédie avant Molière*, p. 96 sq.

personnages. La scène de *Tyr et Sidon* (I, II, 2), où Zorote morigène sa jeune épouse, Philoline, est de l'excellente comédie de mœurs : on y voit le vieux mari grincheux reprocher à sa femme d'aller au bal, au lieu de vaquer aux soins du ménage :

> « Enfin que faire au bal ? ricasser, babiller,
> Faire un hachis du pied, des fesses frétiller,
> Trémousser tout le corps d'un geste déshonnête
> Au racler enroué des boyaux d'une bête... » ;

elle devrait, selon lui, prendre ses ébats en son « seul ménage »,

> « ... mettre nos vins et nos froments en vente,
> Tailler de la besogne à chacune servante...
> Et quelquefois aussi feuilleter un bon livre »,

programme assez austère qui ne plaît guère à Philoline, qui se promet bien de tromper ce mari grincheux avec « quelque beau cavalier plein d'amoureuse braise ». Moins relevées, sans doute, et d'un gros comique sont les scènes du quatrième acte, où Zorote, ivre et titubant, échange des propos obscènes avec un page travesti.

D'autres pièces nous offrent un comique plus fin, fondé sur les sentiments des personnages. L'intérêt d'une des plus anciennes tragi-comédies, *L'Ephésienne*, de Mainfray, qui s'inspire d'une anecdote de Pétrone, réside dans le changement progressif de l'état d'esprit de l'héroïne. D'abord désespérée par la mort de son mari, la jeune veuve veut mourir sur sa tombe, et ni parents ni servante ne réussissent à l'en dissuader :

> « ... sa triste demeure, à mes plaisirs élue,
> Sera le lieu fatal de ma mort résolue. »

La rencontre du soldat, chargé de garder le corps d'un pirate qu'on a pendu, ne change pas sa décision :

> « ... Rien que le trépas ne me peut soulager. »

La nuit suivante, Frontin la presse à nouveau de se consoler, et elle consent à s'alimenter, « afin de (lui) complaire ». Ce repas la réconforte —

> « Ha ! que c'est chose douce à un corps affamé
> D'avoir de quoi manger. » —

et elle écoute plus favorablement le soldat qui lui parle d'amour et qui lui propose le mariage :

> « Je ne puis refuser cet honneur désirable. »

Il la prie alors de satisfaire ses désirs sans attendre, et, après quelque résistance, elle cède, non sans hypocrisie :

> « Le mal que vous souffrez, et non pas mon envie,
> Fait que je condescends à votre passion. »

Enfin, définitivement conquise, c'est elle-même qui, au cinquième acte, lorsque les pirates ont enlevé le cadavre de leur chef, propose à Frontin de mettre à sa place le corps de son mari, pour que le garde ne soit pas puni de sa négligence :

> « ... puisque le destin veut cette extrémité
> Que de deux corps aimés je perde l'un ou l'autre,
> Celui de mon mari jà défunt ou le vôtre,
> Pour ne perdre le vif que le Ciel m'a rendu,
> Je baillerai le mort qui m'est déjà perdu. »

Deux scènes de fine comédie psychologique égaient encore le *Cléomédon*, de Du Ryer, si pathétique par ailleurs avec cette reine cherchant à se venger du prince qui l'a abandonnée jadis, et ce héros qui devient fou de douleur lorsque son roi donne à un ennemi sa fille qu'il lui avait naguère promise. La première de ces scènes met en présence les deux filles du roi Policandre, amoureuse l'une du héros, Cléomédon, l'autre du prince captif, Céliante, et se défendant l'une et l'autre d'être éprises :

> BÉLISE. « — Vous parlez si souvent de cet heureux vainqueur
> Qu'à la fin je croirai qu'il est dans votre cœur...
> CÉLANIRE. — Vous plaignez si souvent un ennemi défait,
> Il paraît à vos yeux si doux et si parfait,
> Vous partagez si bien la honte de sa prise,
> Que vous-même, ma sœur, sembleriez être prise...

BÉLISE. — La commune pitié que l'on doit aux misères
Me fait pousser pour lui des plaintes si légères.
CÉLANIRE. — Et de Cléomédon l'invincible secours
M'oblige à lui donner pour le moins mon discours.
Je paraîtrais ingrate et pleine d'injustices,
Si ma louange au moins ne payait ses services. »

Mauvaises raisons, dont ni l'un ni l'autre ne sont dupes.

Les contradictions et l'embarras de Bélise rendent également amusant un deuxième entretien qu'elle a avec sa sœur. Apprenant que leur père refuse maintenant de donner Célanire à Cléomédon, elle approuve d'abord la décision paternelle (III, 2) :

« Il est père, ma sœur, il est roi dessus nous » ;

et elle déclare à Célanire qu'elle ne pourrait épouser sans rougir un homme qui n'est pas de leur sang. Mais, lorsqu'elle apprend que c'est Céliante que Policandre destine à Célanire, elle s'indigne :

« Vous pourriez vous résoudre à ce lâche hyménée ! »

et elle se lance dans une argumentation passionnée pour prouver à sa sœur qu'elle ne peut épouser un « tyran », « l'assassin d'un père », le « bourreau » du peuple, invitant maintenant Célanire à la désobéissance :

« Quoiqu'un père commande et montre ce qu'il peut,
On doit désobéir quand Nature le veut » ;

mauvaise foi et contradiction piquantes, et qui ne sont pas sans nous faire penser aux discussions aigres-douces que Molière prête aux deux sœurs des *Femmes savantes*.

Il faudrait citer enfin plusieurs scènes de *Cléagénor et Doristée*, dont les derniers actes, très différents des deux premiers où se succèdent assassinats, enlèvements, arrestation, attaque à main armée, nous font assister à une véritable comédie domestique. On sait que Doristée, qui passe pour un jeune homme du nom de Philémond, a été recueillie par

Théandre. La femme de ce dernier, Dorante, et la suivante, Diane, ne sont pas insensibles au charme du jeune page. Une première scène assez amusante nous montre les efforts de Dorante pour éloigner Diane et rester seule avec le « jeune homme » (III, 2) :

> DORANTE. « — ... ayez soin que la table se dresse,
>   Qu'on porte le couvert.
> DIANE.   — Il est déjà dessus.
> DORANTE. — Allez au messager.
> DIANE.   — Vos paquets sont reçus.
>   Ils viennent d'arriver.
> DORANTE.   — Donnez.
> DIANE.   — Monsieur les serre.
> DORANTE. — Voyez avec quel soin on dresse le parterre ;
>   Parlez au jardinier, ayez l'œil sur ses gens.
> DIANE. — Je presserais en vain leurs travaux diligents. (...)
> DORANTE. — Faites ce qu'il vous plaît, mais tirez-vous d'ici. »

Et Diane sort à contre-cœur, pour revenir aussitôt annoncer une visite ! A l'acte suivant (IV, 2), Diane trouve l'occasion de se déclarer à Philémond, mais la jeune-fille est embarrassée devant son interlocuteur qui feint de ne pas la comprendre, ce qui dépite la suivante qui, comme le remarque Philémond,

> « ... voudrait bien se voir un peu forcée,
> Souhaiterait qu'on prît ce qu'elle craint d'offrir,
> Et, n'osant le donner, brûle de le souffrir ».

Puis, c'est Dorante qui se déclare à son tour, et, là encore, le « page » feint de ne pas voir les avances de la jeune femme et s'amuse à prolonger son embarras jusqu'à ce qu'elle lui avoue sa flamme :

> « Crois que tu fais brûler ce cœur qui t'est suspect,
> Et ne me parle plus avec tant de respect ; »

déclaration surprise par le mari, qui raille son infidèle épouse :

> « ... Votre vertu ne se peut trop louer ;
> Embrassez-le Madame...
> Ce page est trop cruel, sa froideur est extrême
> De ne pas contenter une beauté qui l'aime ; »

avant de s'emporter contre « l'impudique » (IV, 3-4).
Mais, l'épouse s'est à peine retirée, pleine de confusion, que
Théandre, qui connaît le véritable sexe de Philémond, se dit
épris lui aussi. Et Philémond-Doristée ne peut calmer ce
nouveau soupirant qu'en menaçant de partir. Badinage galant
et hésitations d'un cœur à se donner, détours qui mènent insen-
siblement à l'aveu du désir, surprise à l'arrivée d'un mari qui
est séduit à son tour, avec, en plus, le piquant du travesti — il y
a là quelques scènes exquises, et le rapprochement, qui
s'impose, avec Marivaux, suffit à montrer la qualité de cette
petite comédie sentimentale.

Ces quelques exemples suffisent à illustrer la variété des
éléments comiques qu'on rencontre dans bon nombre de tragi-
comédies, des impertinences d'un valet au comportement ridicule d'un bouffon, des propos grivois d'un Zorote aux scènes
de fine comédie psychologique. On constate aussi que, si un
Rotrou a souvent fait une place au rire dans ses tragi-comédies,
tous les dramaturges n'ont pas mêlé le comique au sérieux dans
leurs pièces. Point de scènes amusantes dans *Clitandre* ou dans
Le Cid, pas plus que dans *Scipion* ou *Roxane* : Corneille et
Desmarets réservent leur veine comique pour *La Galerie du
Palais* ou *Les Visionnaires*. Et, après 1640, il n'est guère que
Scarron pour oser mêler à l'héroïsme généreux des protago-
nistes de *L'Ecolier de Salamanque* la verve de Crispin.

CHAPITRE IV

Thématique

Nous avons vu dans le chapitre II que l'on retrouvait fréquemment dans les tragi-comédies les mêmes situations, le même déroulement d'une intrigue passant en quelque sorte par les mêmes étapes obligées. La lecture de ces pièces nous montre aussi la récurrence de certains thèmes. Une conception commune de l'amour-passion, un goût persistant pour la violence ou pour l'illusion, font que, d'une tragi-comédie à l'autre, on rencontre les mêmes amants passionnés, les mêmes désespoirs, les mêmes violences physiques, les mêmes feintes et les mêmes déguisements, qu'on retrouve aussi les mêmes considérations morales ou politiques. Cette constance dans la représentation des sentiments et des comportements, comme la reprise perpétuelle de certains motifs, sont très révélatrices de la sensibilité ou de l'idéologie de l'époque, comme il apparaîtra à l'analyse des plus caractéristiques de ces thèmes récurrents.

L'amour est évidemment au centre de la plupart des pièces. Il s'y montre avec tous les caractères de la passion : soudain, irrésistible, inspirant à l'amant une véritable dévotion pour sa maîtresse et un attachement que rien ne peut rompre. Un seul vers suffit parfois à représenter cette rapidité du « coup de foudre ». C'est Cléonice, déclarant à Cloridan qui vient de la sauver (*L'Hypocondriaque*, II, 2) :

« Un instant me surmonte et t'acquiert une amante » ;

Argire, rappelant comment elle s'est éprise de Policandre (*Cléomédon*, I, 1) :

« Il me vit, il m'aima ; je le vis, je l'aimai » ;

ou encore Léandre, qui conte à Mahamut la naissance de son amour pour Léonise (*L'Amant libéral*, I, 4) :

> « Je la vis, je l'aimai ; l'effet suivit la cause,
> Car la voir et l'aimer était la même chose. »

Mais on trouve aussi une description plus développée dans *La Belle Alphrède* (IV, 1), où Acaste explique à sa sœur comment il s'est épris d'Isabelle :

> «... au même instant que parut à ma vue
> Cette jeune beauté de tant d'attraits pourvue,
> D'un désordre soudain mes sens furent troublés,
> Mon esprit interdit, mes yeux comme aveuglés,
> Et je ne voyais rien qu'une douce lumière
> Qui m'avait ébloui de sa clarté première. »

Cet amour est irrésistible. Dans *Les Occasions perdues* (II, 2), la reine de Naples le constate, qui, tombée amoureuse de Clorimand, est toute surprise de sa défaite :

> « Dieux ! eussé-je espéré si lourdement faillir,
> Et qu'on pût me défaire aussitôt qu'assaillir ?
> Qu'un moment, qu'un regard pût vaincre ma constance ?
> Mais l'Amour est un dieu, tout cède à sa puissance. »

> « Contre un tel ennemi, la raison n'a point d'armes »,

reconnaît également Halime, incapable de surmonter son penchant pour le beau Léandre (*L'Amant libéral*, III, 1). Celui qui est épris a beau se représenter les obstacles — indifférence ou hostilité de la personne aimée, devoirs d'un époux, liens d'amitié — qui s'opposent à sa passion, celle-ci est la plus forte[1].

---

1. Rotrou nous en fournit de bons exemples. Dans *Dom Lope de Cardone* (III, 5), le prince Dom Pèdre sait qu'Elise, dont il a tué l'amant, l'a en horreur, que son amour pour elle lui attire le mépris ou la risée des autres, lui vaut des admonestations de son père ; rien n'y fait, et il constate :
« Plus je la veux haïr, plus je sens que je l'aime. »
La vue de Nise suffit à bouleverser Florimant : il oublie Céliane et, malgré ses

L'amour rend l'amant très timide devant sa maîtresse. Acaste, dans une scène admirable, de *La Belle Alphrède* où il décrit son amour à sa sœur (IV, 1), analyse fort bien le trouble qui le saisit en présence d'Isabelle :

> « Je souhaite sa vue, et la crains tout ensemble ;
> Je brûle de la voir, et, l'abordant, je tremble ;
> Près d'elle, je sens naître un désordre secret
> Qui confond mes pensées et qui me rend muet ;
> Il semble que ma langue à son abord se lie ;
> Ce que j'ai médité, la voyant, je l'oublie. »

Même un guerrier comme Agésilan est saisi de crainte à l'idée de se présenter devant la belle Diane (*Agésilan de Colchos*, II, 3). C'est que, pour celui qui est ainsi épris, l'être aimé devient une véritable divinité, devant laquelle la seule attitude concevable est l'adoration. « Je t'aime, je t'adore », déclare Alcandre à Rosélie (*L'Heureuse Constance*, III, 1) ; pour Belcar, Méliane est la « déesse des Charites » (*Tyr et Sidon*, I, II, 4), et, quand Mahamut conseille à Léandre d'aller voir Léonise ; l'autre rectifie :

> « ou plutôt l'adorer » (*L'Amant libéral*, III, 2).

Les femmes ne sont pas moins passionnées. Ecoutons ce cri du cœur de Perside, heureuse d'avoir trouvé Cloridan (*L'Hypocondriaque*, V, 6) :

> « Si je t'aime, mon cœur ! (...)
> Que la terre et le ciel s'opposent à mon bien,
> Si je nourris jamais autre feu que le tien. »

Rosélie, a qui le roi a fait croire à l'infidélité de son amant, ne peut l'oublier et s'écrie (*L'Heureuse Constance*, V, 2) :

remords, prie son ami Pamphile de lui céder sa maîtresse (*Céliane*, III, 2). Ailleurs (*L'Innocente Infidélité*, II, 4), le roi Félismond, qui vient d'épouser Parthénie, est repris néanmoins par sa passion pour Hermante, comme il le confie à un gentilhomme :
> « J'abhorre comme toi ma passion brutale ;
> Mais un trop fort instinct me bâtit ma prison,
> Et mon âme charmée est sourde à la raison. »

R. GUICHEMERRE   5

« Pour ne l'adorer plus, il faut perdre la vie » ;

Célanire déclare à Cléomédon (*Cléomédon,* II, 2) :

« Ne te pas adorer, c'est te faire un outrage » ;

et quelle passion s'exprime dans cette belle tirade de *l'Heureux Naufrage* (V, 4), où la reine Salmacis se dit prête à tout laisser pour gagner le cœur de l'insensible Cléandre !

> « Eh bien ! pour être tienne et pour suivre tes pas,
> Faut-il fouler aux pieds ce qui ne te plaît pas ?
> Faut-il sacrifier à cet amour extrême
> Titres, possessions, et sceptre, et diadème ?
> Bannirai-je pour toi respect, honte et devoir,
> Et faut-il seulement perdre tout pour t'avoir ?
> Je suis prête à te suivre... »

Ce beau cri d'amour nous montre que la passion amoureuse fait aussi souffrir celui ou celle qui l'éprouve. Les héroïnes, en particulier, expriment souvent, en monologues pathétiques, les tourments qu'elles ressentent. Cléonice se plaint des « peines et des maux » que l'amour lui inflige (*L'Hypocondriaque,* III, I).

> « Jusques à quand, Amour, au fond de tes enfers,
> Sentirai-je tes feux, tes gênes et tes fers ? »

se lamente Cassandre, le mal aimée de *Tyr et Sidon* (II, I, I). Et Bélise, dans *Cléomédon,* use de la même comparaison (III, 1) :

> « Je suis dedans les fers, je suis dedans la flamme,
> Et j'ignore aujourd'hui si je porte dans l'âme
>   Un amour ou bien un enfer. »

Mais ces souffrances sont en même temps chéries par celui qui les ressent.

> « Ma sœur, mon mal me plaît, je n'en veux point guérir »,

confie Orante à Lisimène (*Pyrandre et Lisimène,* I, 1) ; Bélise a beau se plaindre qu'« un mal infini (la) presse incessamment »,

elle « chérit son tourment ». « Que sa violence est douce ! »,
s'écrie une autre Orante (*La Belle Alphrède*, IV, 2) ; et
Pamphile célèbre dans des stances la volupté de la souffrance
amoureuse (*Céliane*, I, 2) :

> « Quoique nos esprits affligés
> Témoignent de vives atteintes,
> En souffrant, ils sont obligés
> Au sujet qui cause leurs plaintes,
> Et leur mélancolie a de certains appas
> Qu'en ses plus doux transports la volupté n'a pas. »

Si l'amour, par lui-même, est déjà un tourment, on conçoit
les souffrances de celui ou de celle qui perd tout espoir, soit que
la mort lui ait enlevé l'être aimé, soit que celui-ci se soit épris de
quelque autre. Pour ces héroïnes ou ces héros désespérés, le
suicide semble la seule issue possible, à moins qu'ils ne
sombrent dans la folie. On a là deux thèmes qui reviennent
souvent dans nos tragi-comédies.

On sait que dans l'*Aminta* du Tasse, le héros, désespéré de
la froideur de Silvia, se jetait du haut d'un précipice, mais que
des buissons amortissaient heureusement sa chute. Aminta
aura de nombreux émules dans la tragi-comédie : beaucoup de
désespérés chercheront, comme lui, à mettre fin à leurs jours,
et beaucoup aussi échapperont providentiellement à la mort.
C'est le cas des protagosnistes de deux pièces de La Croix,
pièces très proches encore de la pastorale dramatique : la
Climène, où Caliante, dédaigné par la bergère Clorifée, tente
de se suicider, et *L'Inconstance punie*, où le berger Caliris, à
qui Erante a refusé sa fille Mélanie pour la donner à Clarimant,
se jette dans la Seine[2]. D'autres pièces nous fournissent
d'autres exemples de suicides d'amour manqués. Dans
Madonte, Damon, qui se croit trompé, après avoir blessé son
rival, blessé lui-même, se jette à l'eau (II, 6) ; mais des pêcheurs
tirent son corps du fleuve, on le ranime, et il reparaît à temps

2. Bien entendu, Caliris ne se noie pas. Mais les deux sœurs de Mélanie,
que Clarimant a séduites tour à tour, ainsi que leur père, Erante, réussissent,
eux, leur suicide. Cette accumulation de morts distingue cette tragi-comédie
des pastorales traditionnelles.

pour sauver Madonte dans un duel judiciaire (IV, 6). Dans *Ligdamon et Lidias*, de Scudéry, Ligdamon s'empoisonne pour ne pas être infidèle à Silvie, et Rosélie agit de même, par fidélité à Palamède, dans *La Folie du Sage,* de Tristan ; mais, dans les deux cas, le poison n'était qu'une « potion dormitive » et tout finit par s'arranger.

Ailleurs, c'est une jeune fille qui, pour échapper au mari qu'on lui destine, arrache ses pansements (*Orante*) ; ou, plus spectaculairement, l'impératrice Eudoxe qui, lorsque Genséric veut forcer l'entrée de son appartement, met le feu au palais pour y périr avec ses filles ; mais on arrête l'hémorragie d'Orante, qui finit par épouser Isimandre, et Eudoxe, rescapée de l'incendie, sera unie à son cher Ursace.

Certains suicides, malheureusement, réussissent. Dans *Tyr et Sidon*, la nourrice raconte comment Cassandre, après s'être enfuie sur le même navire que Belcar, en se substituant à sa sœur, se voyant repoussée par le jeune homme, s'est poignardée avant de se jeter à la mer (II, V, I) :

> « Alors d'un bras sans peur (las ! le cœur m'en frémit),
> Elle enfonce la lame en son sein qui gémit,
> Et tout d'un même branle, elle se précipite
> La tête comme aplomb dans le sein d'Amphitrite. »

D'autres femmes, dans leur rage de voir leur échapper l'homme qu'elles ont vainement tenté de conquérir, se donnent aussi la mort. Marie de Padilla, lorsqu'elle perd son pouvoir sur le roi Dom Pèdre, se poignarde (*Blanche de Bourbon*, de Regnault) ; et Amalfrède, après avoir essayé de faire périr son « ingrat amant », s'empoisonne pour ne pas lui survivre (*Amalasonte*). Particulièrement pathétique est la mort d'Isabelle, dans le *Roland furieux* de Mairet : désespérée d'avoir vu mourir son amant, tué par Rodomont, elle se fait tuer par celui-ci, sous prétexte de lui faire éprouver le « charme » qui rend invincible[3], véritable scène de tragédie qui contraste avec le reste de la pièce.

---

3. Cet artifice lui fait éviter le suicide, que condamne la religion.

Le désespoir entraîne parfois aussi les amants dans la folie. Les auteurs baroques se plaisent à mettre sur la scène des personnages insensés, à nous amuser par leurs propos délirants[4] ou à nous effrayer par leur fureur sanguinaire ou leurs visions démentes.

Il arrive que la folie soit seulement feinte, comme dans *La Pèlerine amoureuse*, dont l'héroïne fait semblant de délirer pour éviter l'époux que son père lui destine. Ailleurs, dans le *Trasibule*, de Montfleury, un prince feint aussi la folie pour échapper aux coups de l'usurpateur qui a déjà assassiné son père. Dans *L'Hôpital des Fous,* de Beys, c'est pour se rapprocher de sa maîtresse qui est enfermée dans un asile, que Palamède fait semblant d'avoir l'esprit égaré.

Mais cette dernière pièce nous montre aussi quelques fous véritables — un philosophe qui se prend pour le Créateur, un musicien qui se croit Orphée, un astrologue persuadé qu'il est le soleil —, dont les propos sont destinés à amuser le spectateur. Selon la remarque judicieuse du philosophe (I, 3) :

« ... on rit des effets de cette maladie,
Et l'on vient en ce lieu comme à la comédie. »

On rit de même des hallucinations de Cloridan, l'« hypocondriaque » de Rotrou, qui, croyant sa maîtresse morte, a perdu la raison. Il faudra recourir à toute une mascarade — on « ressuscite » de prétendus morts, on tire un coup de feu sur Cloridan —, pour lui faire reprendre ses esprits.

Plus dramatique est la folie de Cléomédon qui, dans la pièce de Du Ryer, devient fou quand le roi Policandre, qui lui avait promis sa fille Célanire, décide de la donner à un rival (III, 5). Il ressasse sans cesse les paroles humiliantes du prince, à qui il a pourtant conservé un royaume (IV, 3) :

« Un roi me doit sa vie ainsi que sa puissance.
Cependant pour le prix de sa félicité,
Souviens-toi, me dit-il, que je t'ai racheté. »

---

4. Les gens du XVIIᵉ siècle voient volontiers dans la folie un sujet de dérision.

La pensée de Célanire calme un moment sa fureur, mais la colère le reprend : il croit voir les Titans surgir de l'enfer pour l'aider à renverser le roi :

> « déjà la terre s'ouvre
> Et pour me secourir tout l'enfer se découvre ;
> De leurs fers éternels les Titans détachés
> Paraissent sur les monts qu'ils avaient arrachés.
> Regarde, cher ami, leur troupe qui s'assemble ;
> Dessous de si grands corps déjà la terre tremble,
> Le soleil s'en étonne et semble dire aux dieux
> Qu'une seconde guerre a menacé les cieux... »

Puis, dans un nouvel accès de délire, il s'imagine voir sa « reine »,

> « Qu'un possesseur indigne horriblement entraîne.
> Je la vois tout en pleurs, elle me tend les bras. »

Ici, on ne rit plus du délire d'un malade. La sympathie des spectateurs pour le héros leur fait comprendre cette amertume qu'il ressasse, partager son hallucination aux proportions cosmiques, compatir à sa souffrance. Citons encore les fureurs du Roland de Mairet, qui massacre les paysans et dévore un faon « tout sanglant et tout cru » (IV, 3). Le thème de la folie rejoint ici le thème, tout aussi fréquent, de la violence et du crime.

La violence est partout dans la tragi-comédie. Tantôt, c'est un devoir de vengeance qui oblige un père ou un frère à poursuivre le séducteur d'une jeune fille, une femme abandonnée à punir un amant volage, un fils à faire périr l'offenseur ou le meurtrier de son père. Tantôt, la passion insatisfaite pousse un amant rebuté à enlever et à violenter celle qui lui résiste, ou à rechercher la mort d'un rival plus heureux, comme la jalousie inspire à une femme dédaignée le dessein de perdre sa rivale et « l'ingrat » avec elle. De toute façon, vengeance ou dépit entraînent duels, assassinats, combats judiciaires, qui se terminent souvent par la mort d'un ou de plusieurs personnages, donnant ainsi une coloration nettement tragique au genre, même si, en général, le dénouement est heureux.

Les pères ou les frères lavant dans le sang leur honneur, outragé en la personne d'une fille ou d'une sœur qui s'est laissée séduire, très nombreux dans la *comedia* espagnole, sont plus rares dans le théâtre français. On en rencontre quelques-uns dans plusieurs comédies imitées de l'espagnol — *L'Esprit follet, Les Fausses Vérités*, de d'Ouville ; *La Folle Gageure*, de Boisrobert ; *Dom Japhet d'Arménie*, de Scarron —, où l'on voit la fureur des parents offensés s'apaiser instantanément dès que le galant parle de mariage. Dans la tragi-comédie, le thème est assez bien illustré par *L'Ecolier de Salamanque*, où Scarron imite une comedia de Rojas, *Obligados y ofendidos* : un père, Dom Félix, qui a surpris un galant chez sa fille Léonore, ne pouvant se battre avec lui, à cause de son âge (I, 4), confie sa vengeance à son fils, Dom Pèdre ; mais comme celui-ci, qui a des obligations envers le séducteur, semble différer sa vengeance, D. Félix songe à poignarder sa fille (III, 5). C'est ce que n'hésite pas à faire, dans une tragi-comédie de Rotrou, Euphraste, persuadé que sa fille l'a déshonoré. La scène n'est pas représentée — la pièce est de 1644 et les bienséances ne le permettraient pas —, mais un valet fait un récit saisissant du meurtre (*Célie* IV, 4) :

> « ... ce père barbare (...)
> Entrant dans la maison d'un pas précipité,
> Furieux, le teint mort, l'œil ardent et farouche,
> Le poignard à la main et l'écume à la bouche,
> Dessus cette innocente ayant levé le bras :
> — Va, dit-il, prendre ailleurs tes infâmes ébats,
> Lascive, débordée et détestable fille...
> A peine il achevait que, d'un effort brutal,
> Il a dans ce beau sein porté le coup fatal ;
> Sa fureur trop ardente et sa main trop agile
> Ont rendu sa défense et la mienne inutiles ;
> Le coup l'a prévenue, et l'ouverture a fait
> Sourdre un ruisseau de sang sur un fleuve de lait. »

Ailleurs, c'est la victime du séducteur qui poursuit elle-

même sa vengeance. Trois tragi-comédies, de Rotrou, Gougenot et Du Ryer[5] mettent en scène une reine, qui s'est laissée
jadis séduire, et qui poursuit de sa haine l'inconstant dont elle
désire la mort. C'est qu'on ne peut impunément négliger

« Une femme qui règne et qui se peut venger »,

déclare l'une d'elles, qui par un singulier raffinement de haine,
a fait du propre fils qu'elle a eu de l'infidèle l'instrument de sa
vengeance[6].

Le recours à la violence est parfois la conséquence d'une
brouille entre familles, qui fait à leurs membres un devoir de
venger par le sang l'affront reçu. *L'Infidèle Confidente*, de
Pichou, nous montre les sanglants effets de la haine des frères
Palomèque contre Lisanor Pachèque : des domestiques assas-
sinés, une femme poignardée, un combat judiciaire où le héros
reçoit contre les terribles frères l'appui inattendu de la maîtresse qu'il croyait morte, autant de scènes de violence qui
s'achèvent heureusement par la réconciliation des adversaires.
De même, c'est parce qu'elle le rend responsable
de la mort de son mari, que la reine Rosemonde poursuit de sa
haine Cléarque et promet sa fille à celui qui lui apportera la tête
du prince. (*Le Prince déguisé*, I, 5).

Enfin, on sait qu'un affront initial — le soufflet donné à
Dom Diègue — plonge brusquement les protagonistes du *Cid*
dans une véritable histoire de « vendetta » où chacun doit venger l'offense reçue : d'où un enchaînement de violences — duel
sanglant où Rodrigue tue le comte, plainte de Chimène récla-
mant au roi la mort du meurtrier, nouveau duel du héros avec
le champion de Chimène —, que seul interrompt l'arbitrage du
roi.

Un cas particulier du devoir de vengeance se rencontre dans
les tragi-comédies où un fils — ou une fille — fait périr l'usurpateur qui a assassiné son père pour s'emparer du trône. Déjà,

---

5. *Agésilan de Colchos, La Fidèle Tromperie, Cléomédon.*
6. *Cléomédon*, I, 1.

dans *L'Arétaphile* de Du Ryer, l'héroïne, épousée de force par Nicocrate, le meurtrier de son père et du roi légitime, tentait d'empoisonner le tyran. Deux tragi-comédies développent plus dramatiquement le thème. Dans *Téléphonte*, de Gilbert, Hermocrate a ravi au roi légitime «le sceptre, et sa femme, et la vie», et il a mis à prix la tête de son fils. Téléphonte, le fils du roi assassiné, est d'autant plus animé contre l'usurpateur que ce dernier veut encore lui enlever sa maîtresse, Philoclée, pour la donner à son fils Démochare. Téléphonte revient incognito pour se venger : il prétend avoir assassiné... Téléphonte et réclame le prix de son crime. Aussi Hermocrate l'accueille-t-il sans méfiance, et son rival, Démochare, le remercie chaleureusement pour son acte (IV, 6) :

«Un roi te doit son sceptre, un amant sa maîtresse.»

Ce stratagème manque d'ailleurs lui être fatal, car sa mère, Mérope, et sa maîtresse, Philoclée, le prenant pour l'assassin de Téléphonte, s'apprêtent à le tuer. Heureusement, Philoclée le reconnaît à temps et retient le bras de Mérope (V, 4) :

PHILOCLÉE. «— Tremperez-vous vos mains au sang de Télé-
[phonte?
MÉROPE. — Téléphonte?
PHILOCLÉE.   — C'est lui.
MÉROPE.   — Dieux! que me dites-vous?
PHILOCLÉE. — Vous voyez votre fils et je vois mon époux.»

Téléphonte leur apprend alors que :

«Les tyrans sont éteints avec la tyrannie»,

et il raconte, — les bienséances obligent — comment, au temple, il a tué l'usurpateur et Démochare. La scène, avec sa méprise tragique, ne manque pas de grandeur.

La situation est à peu près la même dans le *Trasibule* de Montfleury. Ici, le héros, nouvel Hamlet, feint la folie pour éviter d'être mis à mort par le tyran Diomède, qui a assassiné son père et veut épouser sa mère. Au dénouement, il réussira à attirer l'usurpateur dans un fort et à l'y faire décapiter sur l'échafaud qui était préparé pour lui. On n'assiste pas, bien entendu, à la scène — nous sommes en 1664 —; mais la persistance du goût du public pour la violence et l'horrible paraît dans le récit du meurtre : la tête coupée du tyran, dit le narrateur,

« Semble tourner vers nous une vue égarée (...)
Et, sentant que sa langue a perdu son usage,
Il jette par les yeux le reste de sa rage » (V, 9).

A côté de ceux — pères, frères, fils — qui lavent dans le sang leur honneur outragé, des belles abandonnées acharnées contre leur séducteur volage, des princes punissant un usurpateur assassin, nombreux sont ceux que la passion amoureuse pousse à la violence. Si quelques amants enlèvent la jeune fille dont ils sont épris avec son consentement — ainsi Arimand, dans la *Bélinde*, de Rampale, ou Dionis, dans l'*Amélie,* de Rotrou —, d'autres n'hésitent pas à employer la violence contre celles qui leur résistent.

Ce n'est que velléité chez Edouard, le roi anglais de La Calprenède, qui souffre de se voir repoussé par la vertueuse Elips (I, 2) :

« — Mes soins et mes respects ne sont plus de saison ;
Un peu de violence en fera la raison,
Qui par ma passion sera trop excusée. »

D'autres sont plus décidés, comme le Rodomont du *Roland furieux,* résolu à posséder Isabelle par « la force ou la douceur » (IV, 5), ou surtout le Tyridate de *L'Amour tyrannique* qui, ayant Polixène en sa puissance, estime que « pour être content, il ne (lui) faut qu'oser » (IV, 2). Cela nous vaut un certain nombre de scènes d'action particulièrement mouvementées.

Dans *L'Aristoclée*, de Hardy, le brutal Straton, aidé de quelques amis, tente d'arracher l'héroïne à Calistène, que la jeune fille vient d'épouser, et elle meurt dans l'échauffourée.

La Force du Sang, du même Hardy, nous montre Alphonse et ses compagnons enlevant Léocadie à ses parents (I, 3) :

> RODÉRIC. « — Tue, tue, demeure, arrête, ou tu es mort.
> PIZARE. — Hélas ! mes bons amis, ne m'outragez à tort.
> LÉOCADIE. — Au secours, à la force. Hélas ! je suis perdue (...)
> PIZARE. — A l'aide, citoyens, on me tue, on me vole ;
> Ma fille entre mes bras enlevée on viole. »

L'héroïne d'une tragi-comédie de Rotrou, Doristée, est victime de deux rapts successifs : son enlèvement par Ménandre est seulement raconté par l'infortuné Cléagénor à un ami (I, 2) :

> « ... par mille baisers et donnés et rendus,
> Je cueillais les premiers des fruits qui m'étaient dus,
> Quand trois hommes armés — extrême violence ! —
> Le poignard sur le sein m'imposent le silence,
> Et trois, dedans le char qui les avait portés,
> Jettent cet abrégé de toutes les beautés. »

Mais le spectateur assiste ensuite à la tentative d'un second ravisseur, Ozanor, qui, sous prétexte d'avoir tiré Doristée des mains de Ménandre, entend obtenir la récompense de ses services (I, 3), et qui lui ferait violence, si Cléagénor ne survenait à temps pour sauver sa maîtresse.

La tragi-comédie de *Clitandre* est plus audacieuse encore, qui nous fait voir Dorise se débattant entre les bras de Pymante qui veut la prendre de force (IV, I) :

> PYMANTE. « — Je ne sache raison qui s'oppose à mes vœux,
> Puisqu'ici la raison n'est que ce que je veux,
> Et, ployant dessous moi, permet à mon envie
> De recueillir les fruits de vous avoir servie.
> Il me faut un baiser malgré vos cruautés.
> (Il veut user de force).
> DORISE. — Exécrable ! ainsi donc tes désirs effrontés
> Veulent sur ma faiblesse user de violence ?
> PYMANTE. — Que sert d'y résister ? Je sais trop la licence
> Que me donne l'amour en cette occasion.
> DORISE. — Traître, ce ne sera qu'à ta confusion. »

Et elle lui crève un œil « du poinçon qui lui était demeuré dans les cheveux ».

Ces violences, toutefois, deviennent exceptionnelles après 1634. Par contre, l'emploi de la force contre un rival qu'on cherche à éliminer, demeure fréquent. Dans le meilleur des cas, l'affaire se règle par un duel : dans *Madonte*, Damon se bat contre Thersandre qu'il s'imagine plus heureux que lui ; dans *Le Trompeur puni,* Arsidor, après avoir tué en duel l'imposteur Cléonte, se bat avec un second prétendant à la main de Nérée, Alcandre ; dans *La Bourgeoise*, de Rayssiguier, Atis engage aussi le fer avec Acrise, qu'il prend pour un rival ; *La Sœur valeureuse,* de Mareschal, ne comporte pas moins de cinq duels ! Mais les bienséances feront disparaître bientôt les combats de la scène. Le *Scipion* de Desmarets, joué en 1638, nous montre encore un duel entre deux rivaux, mais l'un des adversaires recule si bien que le combat a lieu en coulisse !

Parfois, un rival déloyal tend un guet-apens à l'amant aimé. Dans *Tyr et Sidon*, un vieux mari faisait assassiner par des soldats perdus le galant prince de Tyr, au sortir d'un rendez-vous galant (I, V, 4). Rotrou nous offre plusieurs exemples d'amants jaloux tendant un traquenard à leur rival heureux. Dans *Les Occasions perdues,* Cléonte, jaloux de Clorimand dont la reine est éprise, veut l'attaquer avec quelques amis :

> « — Assassinons ce traître en son lit, dans son sein ;
> Entrons, donnons, rompons, suivons notre dessein » (V, 1).

Dans *L'Heureux Naufrage*, un autre jaloux, Dorismond, furieux de voir que Céphalie le dédaigne pour Cléandre, provoque d'abord ce dernier :

> « — Monsieur, certain sujet où l'honneur m'intéresse,
> M'oblige à désirer d'éprouver votre adresse.
> J'attends pour cet effet la faveur de vous voir
> Aux vieux murs du palais, sans suite et sur le soir » (III, 5).

Mais le traître a aposté trois hommes qui attaquent Cléandre.

Celui-ci, blessé d'un coup de pistolet au bras gauche, met l'épée à la main, les poursuit et les tue l'un après l'autre (IV, 8) :

> AGYS. — O Ciel ! ô dieux !
> DAMIS.   — Je meurs, et l'infâme avarice
> Qui me porte à ce crime, a son juste supplice.
> ARGANT. — Hélas ! ce coup mortel est la punition
> D'une si détestable et si noire action. »

Dorismond, survenant à ce moment, voit son rival en vie ; les deux hommes se battent, et il tombe à son tour (IV, 9) :

> DORISMOND. — ... ô dieux ! il n'est pas mort.
> CLÉANDRE. — A moi, perfide, à moi !
> DORISMOND (blessé à mort). — Dure loi de mon sort,
> Le Ciel rend justement mon entreprise vaine,
> Et mon crime reçoit une trop douce peine. »

Malgré les contritions édifiantes des mourants, la séquence ne manque pas de vigueur.

Nous trouverions des scènes de violence analogues dans *Clitandre*, où Rosidor, répondant au cartel que lui a envoyé Pymante, son rival, est attaqué par « trois assassins masqués » qu'il tue ou met en fuite[7] ; dans *Orante*, où Florange attaque Isimandre qu'il croit aimé par l'héroïne ; dans *La Sœur valeureuse,* où le jaloux Dorame tente de faire assassiner Oronte, une femme travestie, qui, aidée de son page, tue ses quatre agresseurs ; dans d'autres pièces encore. Une des scènes de violence les plus spectaculaires est sans doute celle de *L'Amant libéral,* de Scudéry, où l'on voit deux bachas, chacun à la tête d'une troupe de soldats, essayer d'arracher Léonise au cadi Ibrahim, rivalité qui dégénère en bataille générale à la faveur de laquelle Léandre délivre la belle captive (V, 4).

---

7. Parallèlement, une autre amante malheureuse, Dorise, essaie aussi par traîtrise de tuer sa rivale, Caliste. Au moment où elle va perpétrer son crime, Rosidor, qui a cassé son épée, s'empare de l'arme de Dorise pour se défendre contre ses agresseurs. Nous sommes en plein mélodrame !

Comme les duels, ces violences disparaissent de la scène après 1640[8]. On trouve encore dans *Venceslas* un jaloux qui assassine celui qu'il prend pour son rival heureux, mais l'épisode est seulement raconté par le meurtrier repentant (IV, 3). Les spectateurs de 1647 préfèrent un beau récit dramatique à la représentation de la violence sur la scène.

L'amour provoque d'autres conflits que ceux qui naissent de la jalousie d'un amant rebuté ou d'une femme dédaignée. Des liens familiaux, des structures sociales s'opposent parfois à la passion des protagonistes. D'où un certain nombre de situations dramatiques qui reviennent assez fréquemment dans la tragi-comédie, et dont la récurrence montre bien qu'il y a là des problèmes qui préoccupaient les contemporains.

Ainsi, plusieurs pièces mettent en scène la rivalité amoureuse d'un père et de son fils. N'allons pas y chercher un conflit œdipien : les dramaturges, qui représentent ce genre de situation, n'y voient qu'une occasion de rendre plus dramatique encore la rivalité amoureuse en raison des liens affectifs qui unissent les deux hommes, et ils y trouvent surtout un beau dilemme, propre à de grands développements antithétiques.

On le constate dès la première tragi-comédie qui aborde le thème, la *Dorinde*, d'Auvray. S'inspirant d'un épisode de *L'Astrée*, l'auteur nous montre le roi burgonde Gondebaut épris de la belle Dorinde, dont le propre fils du roi, Sigismond, est lui-même amoureux. Mairet avait traité déjà un sujet voisin : dans *Chryséide et Arimant,* où il s'inspirait aussi de *L'Astrée,* le même Gondebaut, après un débat intérieur, renonçait à la jeune fille dont il s'était épris. Le fait que le rival du roi burgonde est ici son propre fils, ne donne que plus d'acuité au dilemme qui se pose à lui et au conflit entre son affection paternelle et sa passion qu'il exprime dans un monologue pathétique :

---

8. Cependant, *L'Ecolier de Salamanque*, de Scarron (1654), nous présente encore un guet-apens : des « braves » attaquent le comte, qui en tue un d'un coup de pistolet et, aidé de Dom Pèdre, met les autres en fuite (V, 3).

« — Contre mes passions croirai-je la nature
Qui résoud ma raison à remettre une injure ?
Dorinde, Sigismond, qui partagez mon cœur,
Qui de vous deux enfin en sera le vainqueur ? »

Bien entendu, l'amour paternel l'emportera et Gondebaut s'effacera devant son fils.

On retrouve une situation analogue dans la *Marguerite de France* où Gilbert, arrangeant quelque peu les données de l'histoire, met en scène la rivalité du roi d'Angleterre Henri II et de son fils, le roi voulant épouser la princesse française destinée au prince. Le conflit va si loin que le jeune homme a dû recourir aux armes et a envahi l'Angleterre. Les conseils de Pembroke, les menaces de son épouse légitime, les supplications de Marguerite, les offres de paix du prince, rien ne peut ébranler le roi, qui veut la bataille. Il est victorieux, mais il apprend que son fils a péri ; son orgueil et son égoïsme fondent dans le malheur, et il se repent de son attitude passée (V, I) — repentir qui prépare le dénouement : le prince n'est pas mort, et son père est si heureux de le revoir vivant qu'il l'unit à Marguerite.

Plusieurs tragi-comédies — la *Stratonice*, de Brosse ; l'*Antiochus*, de Th. Corneille ; une autre *Stratonice*, de Quinault — mettent en scène une anecdote racontée par Plutarque (*Démétrius*) : le roi de Syrie, Séleucus, découvrant grâce à l'astuce d'un médecin que son fils Antiochus se mourait d'amour pour sa belle-mère Stratonice, lui cède celle-ci pour lui sauver la vie. Il y avait là, en dépit de d'Aubignac qui avait déconseillé à Brosse de traiter ce sujet, matière à un beau conflit psychologique. Le souci des bienséances et le désir de donner un dénouement heureux amènent Brosse à escamoter le tragique de la situation[9]. Quinault, dans sa *Stratonice*, esquive aussi le dilemme, puisque son Séleucus, n'aimant pas la jeune femme, peut renoncer à elle sans déchirement, lorsqu'il

9. Il fait de Stratonice la fiancée, et non la femme, de Séleucus, qui y renoncera d'autant plus aisément qu'il épouse à la fin une jeune princesse propre à le consoler de son sacrifice.

apprend que son fils en est épris. Au contraire, Th. Corneille, dans *Antiochus,* après une romanesque histoire de substitution de portrait[10], atteint au pathétique, lorsqu'il nous peint le désarroi de Séleucus, averti de la passion de son fils pour celle qu'il voulait lui-même épouser (V, 2). Considérant que l'un des deux doit se sacrifier, un moment indigné contre la témérité de ce fils qui ose aimer la même femme que lui, il comprend cette passion que justifie la beauté de Stratonice et, réfléchissant à son âge, il décide de s'effacer. Le monologue où il exprime ses sentiments contradictoires, vaut la peine d'être cité :

« — Un feu pareil au tien l'attache à Stratonice ;
Ton bonheur fait sa mort, le sien fait ton supplice ;
Et, quoique sa vertu triomphe du désir,
Il meurt, si tu ne meurs : c'est à toi de choisir.
Quoi ! le flatteur appas de ce feu téméraire
Lui peut-il donner droit d'être rival d'un père ?
Et, voyant à quel point on m'avait su charmer,
N'a-t-il pas dû, l'ingrat, se défendre d'aimer ?
De ses vœux, par respect, arrêter l'injustice ?
Mais, si son devoir cède, il cède à Stratonice ;
Et, quelque effort qu'il fît pour se faire écouter,
Qui la voit et l'admire, a-t-il à consulter ?
Non, non, il faut qu'il aime, et si tu tiens à crime
Qu'un fils n'ait point borné cet amour à l'estime,
Songe à tant de beautés dont les charmes pressants,
Pour t'enflammer, sur l'heure, éblouirent tes sens.
Songe à ce noble amas de vertus et de grâces
Qui fit de tes vieux ans fondre soudain les glaces.
Ce fils, pour adorer ce qui surprit ta foi,
N'avait-il pas un cœur et des yeux comme toi ? (...)
Songe, songe plutôt que sous le poids de l'âge,
L'amour ne peut offrir qu'un ridicule hommage,
Et que, sous le silence un fils prêt d'expirer
T'apprend à la raison comme il faut déférer. »

10. La nièce du roi, Arsinoé, pour connaître les sentiments d'Antiochus, a substitué son portrait à celui de Stratonice dans une boîte appartenant au prince. D'où la méprise de Stratonice, persuadée que le jeune homme aime Arsinoé et le disant au roi. Mais Arsinoé révélera la vérité à Séleucus.

Th. Corneille retrouve ici les accents pathétiques d'un Rayssiguier qui, trente ans plus tôt, dans sa *Célidée*, avait su exprimer le conflit déchirant d'Oronte, sacrifiant lui aussi son amour pour Calirie afin de sauver son neveu, Alidor, qui se mourait d'amour pour la jeune femme[11]. Ici, c'est l'héroïque sacrifice de Calirie, qui n'hésite pas à se défigurer, qui, délivrant Alidor de sa passion, permettra à Oronte d'épouser celle qu'il n'a pas cessé d'aimer.

Dernier exemple, enfin, de rivalité amoureuse entre un père et un fils, le *Manlius* de Mme de Villedieu nous montre le consul Torquatus disputant à son fils l'amour de la princesse latine Omphale. Aveuglé par la passion, le père fait condamner à mort son propre fils sous prétexte qu'il a désobéi à ses ordres[12] :

> « — L'amour, plus que les lois, a signé son arrêt,
> Et je dois son trépas à mon propre intérêt » (II, I).

Mais l'abnégation de Manlius qui, délivré par les soldats révoltés, revient se livrer à son père, émeut celui-ci, qui l'unit à Omphale. Malgré quelques beaux vers où s'exprime la passion égoïste du père,

> « — Mon fils est mon rival, je ne le connais plus » (IV, I) —,

la tragi-comédie de Mme de Villedieu n'offre pas de scènes comparables, par leur intérêt psychologique ou leur pathétique, à celles de Rayssiguier ou de Th. Corneille.

Si la passion amoureuse oppose parfois un père et un fils, ou encore deux frères, elle peut perturber d'une autre façon les

---

11. Voir en particulier le douloureux dilemme d'Oronte (II, 4) :
« Je voudrais conserver Alidor et ma flamme,
Et je me vois contraint de perdre l'un des deux. »
Mais, dans ce dilemme déchirant, la générosité l'emporte :
« — Quelque amour que mon âme ait encore pour elle,
Il ne doit pas mourir pour aimer cette belle.
Je veux que mon amour cède à mon amitié. »
12. On sait que Manlius avait vaincu les Latins, en dépit de l'interdiction qui lui avait été faite de livrer bataille.

structures familiales. Un jeune homme et une jeune fille, épris l'un de l'autre, ignorent qu'ils sont frère et sœur, et ils risquent de contracter un mariage incestueux ; ou bien, inversement, deux jeunes gens, se croyant frère et sœur, se désespèrent en constatant le penchant coupable qui les attire l'un vers l'autre. Les choses s'arrangent généralement par l'arrivée opportune d'un personnage qui connaît les liens de parenté réels des jeunes gens — ou l'absence de tels liens — : le frère et la sœur qui allaient s'épouser, découvrent que leur attirance mutuelle n'était qu'une affection fraternelle, et les amants horrifiés à l'idée d'une union incestueuse apprennent avec soulagement qu'ils peuvent se marier. Ce thème de l'inceste apparaît dans nos tragi-comédies sous ces deux formes : risque méconnu d'union incestueuse, angoisse devant une passion interdite. Peut-on y voir une obsession de l'époque ? L'interdit religieux et moral pesant sur les relations amoureuses entre proches parents était-il ressenti comme une répression angoissante ? Il est difficile de le dire. Et, si certains désordres de l'aristocratie[13] ont pu scandaliser, de pareils cas semblent bien limités et ne paraissent pas avoir préoccupé les contemporains. Sans doute faut-il voir là plutôt un moyen pour le dramaturge de mettre sur la scène des situations particulièrement piquantes — l'inclination réciproque de jeunes gens qui ignorent qu'ils sont frère et sœur —, ou pathétiques — le désespoir de celui qui ne peut épouser celle qu'il croit être sa sœur. La fréquence — relative — du thème dans la tragi-comédie, quelque complaisance même pour ces situations ambiguës semblent montrer néanmoins l'intérêt que certains dramaturges ont porté au problème.

Un mariage incestueux est évité à temps dans deux tragi-comédies de Du Ryer. A peine esquissé dans *Argénis* — le prince mauritanien Arcombrotte apprend à temps par une lettre de sa mère qu'il est le demi-frère d'Argénie, qu'il allait

13. Par exemple, la « folle passion » (Lenet) du prince de Conti pour sa sœur, la duchesse de Longueville. Plus tard, la passion de la duchesse de Bouillon pour son neveu, Philippe de Vendôme, fera aussi scandale ; et on a pu croire que quelques vers de *Phèdre* (850-52) y faisaient allusion.

épouser —, le thème est plus développé dans *Cléomédon*. Pour assurer la paix, le roi Policandre a décidé de donner sa fille Célanire au prince Céliante, son prisonnier, qui s'est épris d'elle (III, 5). Or le spectateur sait que Céliante est le fils que la reine Argire a eu jadis de Policandre. Le mariage va-t-il avoir lieu ? L'arrivée de la reine, à l'acte V, empêche l'irréparable : Policandre est heureux de retrouver en Céliante un fils, et Célanire un frère. Comme le dit Céliante à cette dernière,

> « en un même moment,
> Vous acquérez un frère et perdez un amant » (V, 6).

La jeune fille pourra donc épouser Cléomédon, qui se trouve être le fils qu'Argire a eu d'un autre roi, tandis que Céliante épouse Bélise, qui n'est que la belle-fille de Policandre. Il faut avouer que cette histoire de parentés est bien compliquée et que l'amour de Céliante pour Célanire se change bien vite en une affection purement fraternelle ; mais cela n'empêchait pas l'abbé d'Aubignac d'admirer la « belle intrigue » de la pièce.

Si le risque d'inceste ne paraît guère troubler les personnages de *Cléomédon*, il n'en va pas de même dans une tragi-comédie de Boisrobert, publiée l'année précédente, *Pyrandre et Lisimène*. On y voit une princesse d'Albanie, Orante, éprise d'un homme de naissance inconnue, Pyrandre, qui s'est illustré à la guerre. Elle lui envoie un billet où elle le prie de la rejoindre, la nuit (I,4) :

> « — L'échelle est au pied de la tour ;
> Je t'attends, sans autre lumière
> Que celle d'hymen et d'amour. »

En fait, Pyrandre, qui aime Lisimène et en est aimé, envoie au rendez-vous, à sa place, le prince Pyroxène. Lisimène, qui ignore la substitution et se croit trahie, dénonce les amants ; Pyroxène s'enfuit, et on arrête Pyrandre, qu'on accuse d'avoir séduit Orante (III, 1 et 4). Les choses s'aggravent lorsqu'on apprend au roi d'Albanie, désolé de voir sa fille déshonorée, que le séducteur, Pyrandre, dont on ignorait l'origine, est son propre fils et qu'il a donc commis l'inceste. Le roi est accablé (V, 2) :

> « — Sans connaître sa sœur, il a souillé sa couche.
> Je pense rencontrer un enfant vertueux,
> Et je trouve aussitôt qu'il est incestueux.
> J'ai son crime en horreur... »

Heureusement, Pyroxène vient s'accuser : c'est lui qui a séduit Orante, dont il demande la main. Il n'y a donc pas eu inceste, et Orante désabusée par le roi, et voyant Pyroxène lui jurer « à genoux une amour éternelle », accepte sans difficulté d'épouser celui-ci. Mais on l'a échappé belle et, comme le remarque Pyroxène (V, 4) :

> « ... un feu pernicieux
> Etait près d'offenser et la terre et les cieux. »

Ce feu, dont Orante ignorait le caractère « pernicieux », une autre jeune fille en est pleinement consciente : Oronte, l'héroïne de *La Sœur valeureuse,* de Mareschal, est en effet amoureuse de son frère Lucidor. Elle le suit dans ses voyages ; se bat, travestie, contre lui ; mais, lorsqu'elle lui révèle son identité et lui déclare son amour, il la repousse avec horreur. Elle finira par épouser Dorame, tandis que Lucidor se marie avec Olympe. Encore qu'il soit surprenant de voir un dramaturge attribuer à son héroïne, par ailleurs courageuse et sympathique, une passion incestueuse, la complication d'une intrigue fertile en péripéties romanesques — cinq duels, deux tentatives d'assassinat, plusieurs substitutions et travestis — ôte toute crédibilité à ce qui aurait pu être une création psychologique originale.

On trouvera plus de profondeur et plus de pathétique dans deux tragi-comédies, dont les auteurs avaient déjà abordé le thème. Dans sa *Bérénice*, que Du Ryer donne dix ans après *Cléomédon*, tout vient encore d'une substitution d'enfants.

Criton a fait passer son fils, Tarsis, pour le fils du roi de Crète, qui, en réalité, est père d'une fille, Bérénice, qu'on croit fille de Criton et sœur d'Amasie. Or, le roi de Crète et Tarsis s'éprennent tous deux de Bérénice, et, pour écarter ce rival inattendu, le roi propose à son « fils » d'épouser Amasie. Criton révèle alors une partie de la vérité à Tarsis, atterré :

> TARSIS. « — Pourquoi donc ne puis-je l'aimer ?
> CRITON. — Parce qu'elle est votre sœur, et que sa mère était votre mère. »

Mais Criton n'a pas révélé à Tarsis que Bérénice ne lui était rien. Aussi le jeune homme et Bérénice sont-ils plongés dans une inquiétude douloureuse : Tarsis supplie Bérénice d'épouser le roi et de monter sur le trône auquel il ne peut plus prétendre ; elle refuse de l'en priver et lui dit adieu tristement. Ce n'est qu'au dénouement que, lorsque le roi presse Criton de lui donner Bérénice, celui-ci lui apprend qu'elle est sa propre fille. Le roi pardonne à Criton et accorde sans difficulté Bérénice à Tarsis. Ici encore, on a, par deux fois, frôlé l'inceste — Tarsis allait-il épouser Amasie, sa sœur ? le roi, sa propre fille, Bérénice ? —, et, plus que dans les pièces précédentes, les amoureux sont angoissés par le sentiment d'éprouver une passion coupable.

De même, Boisrobert, qui avait abordé le thème de l'inceste dans *Pyrandre et Lisimène*, y revient, vingt ans plus tard, avec *Cassandre, comtesse de Barcelone,* où il exprime avec beaucoup plus de force et de pénétration l'angoisse du héros, incapable de se délivrer d'une passion qui lui fait horreur. Astolfe est épris de la comtesse, Cassandre, qui lui rend son amour ; mais quand il fait part à son père, le duc de Gardone, de leurs sentiments réciproques, celui-ci lui déclare que leur mariage est impossible, la comtesse étant sa propre sœur :

> « — Fuyez avec horreur l'objet de votre inceste[14]. »

---

14. Il y a eu ici encore substitution d'enfants. Le duc explique à son fils que Cassandre est sa fille, qu'il a mise à la place de la véritable fille du feu roi. L'héritière légitime passe pour la sœur d'Astolfe, Isabelle.

Astolfe est désespéré : ne pouvant dominer sa passion, il ne voit de remède que dans la mort (II, 6) [15] et il dit « adieu pour jamais » à Cassandre, stupéfaite et bientôt indignée de cette inconstance. Elle ne comprend l'attitude d'Astolfe qu'au cinquième acte lorsque, à la suite d'une méprise — une lettre où le duc presse son fils de fuir une sœur « trop facile à lui donner sa foi », lui a fait croire qu'Astolfe aimait sa sœur Isabelle —, le duc lui révèle la substitution qu'il a faite jadis. Cassandre, persuadée qu'elle est la fille du duc, supporte stoïquement de « perdre ensemble Astolfe et la couronne », et fait assembler la noblesse pour céder le trône à Isabelle. Les deux amants se revoient avec angoisse, toujours épris l'un de l'autre malgré l'horreur que leur inspire cet amour incestueux :

> ASTOFLE. — Voici Cassandre, ô dieux ! Puis-je encore revoir
>   Cet objet de ma rage et de mon désespoir,
>   Cette sœur que j'adore ?
> CASSANDRE. —   Ah ! tout le cœur me tremble :
>   Puis-je bien voir mon frère et mon amant ensemble ?
>   Ainsi que notre cœur, détournons-en les yeux ;
>   Forçons un mouvement qui blesserait les dieux. »

C'est alors que se produit le coup de théâtre. Dom Bernard, le gouverneur de la comtesse, lui déclare qu'elle est bien la souveraine légitime et non la fille du duc, car, par une seconde substitution ignorée du duc, il avait remis lui-même l'héritière légitime en son rang. Ainsi, Astolfe ne lui est rien, et elle pourra l'épouser. On conçoit le soulagement et la joie des deux amants, après ces moments d'angoisse et de détresse, que Boisrobert a bien su nous faire sentir.

On pourrait joindre à ces exemples d'inceste au théâtre deux tragi-comédies, L'Inceste supposé, de La Caze, et Théodore, de Boirobert encore, qui traitent un sujet identique : un

---

15. Voir encore IV, 6 : le duc. « — Mais elle est votre sœur ! La voudriez-
                                        [vous pour femme ?
    Astolfe. — Oui, puisque de ce mal je ne saurais guérir,
        Je voudrais l'épouser, et puis après périr. »

homme, épris de sa belle-sœur et repoussé par elle, qui se venge en l'accusant devant son mari de l'adultère qu'il voulait lui faire commettre. Toutefois, si l'on excepte ces vers de *Théodore*, où Tindare, épris de l'héroïne, exprime son impuissance à étouffer un amour coupable (I, 6) :

> « — Mais comment arrêter ma flamme incestueuse ?
> Elle est trop violente et trop impétueuse.
> A ce torrent de feu je ne sais qu'opposer ;
> Ma raison m'abandonne et me laisse embraser » —

ces amants ne semblent guère ressentir le caractère incestueux de leur passion. Leur frère n'est pour eux qu'un mari quelconque dont ils convoitent la femme, et on ne trouvera rien, chez La Caze ou chez Boisrobert, qui approche des scènes de *Phèdre*, où Racine exprime de façon si pathétique les tourments de son héroïne, déchirée entre son désir et sa conscience.

Les tragi-comédies où une trop proche parenté, réelle ou imaginaire, contrarie l'amour des jeunes gens, sont tout de même assez rares. Par contre, un autre obstacle vient fréquemment s'opposer au mariage des héros : c'est l'inégalité de rang et de fortune entre deux êtres qui s'aiment. La fréquence de ce motif dans le théâtre du XVIIᵉ siècle montre qu'il y a là une question qui préoccupe les contemporains, dans la société si hiérarchisée du temps.

Si, dans la pastorale, qui représente un monde idyllique affranchi des contraintes et des normes politiques et sociales, les princes épousent facilement des bergères — encore que, dans *Sylvie*, le roi fasse quelque difficulté pour laisser Thélame épouser l'héroïne —, il n'en va pas de même dans la tragicomédie. Ici, comme dans le monde réel, l'inégalité de naissance est un obstacle insurmontable : une reine ne saurait épouser un simple gentilhomme ; à plus forte raison, un aventurier, si glorieux soit-il, dont on ignore l'extraction ; un prince ne peut s'abaisser à demander la main d'une roturière. Dans la société strictement hiérarchisée du théâtre, qui est à l'image de la société réelle, il est honteux de déroger ; les rois et les pères sont inflexibles sur ce point, et même les amants, quoi qu'il leur en coûte, se soumettent souvent à la règle.

Nous ne sommes pas étonnés d'entendre ces principes dans la bouche d'un monarque comme le roi hongrois de *Laure persécutée,* indigné que son fils, le prince Orantée, préfère à l'infante de Pologne

> « une fille inconnue, un rebut de fortune, (...)
> Sans naissance, sans nom, sans pays, sans pouvoir,
> Pauvre, et qui pour tout bien n'a pas même l'espoir » (I, 5).

Il ne comprend pas que son fils puisse envisager une union aussi disproportionnée et il envisage même pour le bien de son fils, de faire périr « sa Circé », approuvé hautement en cela par ses courtisans.

Le roi sicilien Anthénor ne parle pas autrement, dans la *Cariste* de Baro. Il n'admet pas que Cléon puisse

> « refuser enfin pour une vagabonde
> Une fille de prince » (I, 3),

et lui aussi projette de faire assassiner cette « sorcière », qui a ensorcelé son fils. De même, dans *Dom Sanche d'Aragon*, une reine reproche à sa fille, Done Elvire, son inclination pour Carlos et parle avec mépris de

> « son sang, que le Ciel n'a formé que de boue » (I, 1).

Chose plus surprenante, les jeunes gens eux-mêmes admettent parfois que l'infériorité de leur condition leur interdit de prétendre à une haute alliance. Malgré son amour pour Orantée, Laure est prête à se sacrifier à la raison d'état et à laisser le prince épouser l'infante qu'on lui destine (I, 9) :

> « — Ne lui préférez pas une fille inconnue,
> Etrangère, sans bien, et dont l'extraction
> Avec votre naissance est sans proportion.

Oui, seigneur, épousez, quelque ardeur qui vous presse,
L'intérêt de l'Etat bien plus qu'une maîtresse[16]. »

Malgré sa gloire militaire, Cléomédon, dans la pièce de Du
Ryer, n'ose espérer voir couronner son amour pour Célanire
(II, 2) :

« — Je brûle sans espoir du beau feu qui m'éclaire. »

«En l'état où le Ciel (le) voulut abaisser », il considère que le
seul bien auquel il puisse prétendre, est que Célanire souffre
son amour. Même attitude chez Carlos, un autre général valeureux, qui, malgré son amour pour la reine de Castille, se juge
indigne d'elle (*Dom Sanche d'Aragon*, II, 2) :

« — Je puis contre le Ciel en secret murmurer
De n'être pas né roi pour pouvoir espérer,
Et, les yeux éblouis de cet éclat suprême,
Baisser soudain la vue et rentrer en moi-même ;
Mais que je laisse aller d'ambitieux soupirs,
Un ridicule espoir, de criminels désirs... »

Mieux, si la reine répondait à son amour et s'abaissait jusqu'à
lui, ce « généreux » cornélien ne la jugerait plus digne d'être
aimée :

« — Si votre âme, sensible à ces indignes feux,
Se pouvait oublier jusqu'à souffrir mes vœux,
Si, par quelque malheur que je ne puis comprendre,
Du trône jusqu'à moi je la voyais descendre,
Commençant aussitôt à vous moins estimer,
Je cesserais sans doute aussi de vous aimer. »

Non seulement le héros se soumet aux valeurs sociales, mais il
s'en fait même l'ardent défenseur !

---

16. Il est significatif qu'on trouve dans la bouche de l'héroïne les mêmes
expressions que celles employées par le roi pour détourner son fils d'un
mariage inégal. La hiérarchie sociale est reconnue par celle-là même qui en est
la victime.

Cependant, malgré ces déclarations qui condamnent hautement toute mésalliance, la fréquence des pièces où l'amour
rapproche des jeunes gens que sépare l'inégalité de leurs rangs,
les tirades enflammées des princesses qui proclament que
l'amour est au-dessus des hiérarchies sociales et égalise les
conditions, la sympathie du public pour ces couples victimes
d'un préjugé social, témoignent d'une certaine revendication
de la sensibilité contre une hiérarchie contraignante.

On ne saurait énumérer toutes les tragi-comédies où
l'amour qui unit deux êtres l'emporte sur les obstacles que
l'inégalité sociale a mis entre eux[17]. Parfois, l'inégalité ne
semble pas poser de problème : le roi burgonde Gondebaut
offre le mariage à Chryséide comme à Dorinde, qui ne sont
princesses ni l'une ni l'autre, et, dans *Climène*, un prince
épouse une «bergère»; mais les tragi-comédies de Mairet,
d'Auvray et de La Croix s'inspirent de la tradition pastorale.
Néanmoins, on voit ailleurs des princes envisager carrément
d'épouser une jeune fille d'un rang inférieur : aux exemples
déjà cités — *Laure persécutée, Cariste* —, on pourrait ajouter
L'Heureuse Constance, où le roi hongrois tente de séduire sa
sujette Rosélie par l'offre de la couronne, ou *Édouard*, dont le
héros, roi d'Angleterre, finira par épouser Elips, qui n'est que
comtesse.

Mais on sait — et les contemporains en avaient d'illustres
exemples — que les princes n'ont pas besoin d'épouser les
femmes dont ils s'éprennent. C'est peut-être ce qui explique
qu'on rencontre plus souvent au théâtre la situation inverse,
qui est en même temps plus piquante, celle où une jeune princesse est amoureuse d'un homme d'un rang inférieur ou dont
l'extraction est inconnue. C'est parfois un simple égarement
passager et les choses rentreront dans l'ordre au dénouement :
la reine des *Occasions perdues*, malgré son penchant pour
Clorimand, épousera le roi de Sicile et, dans *L'Heureux*

---

17. C'est constant dans la comédie, où l'amour des jeunes gens triomphe
toujours de l'avarice des pères. Mais la comédie n'est-elle pas un retournement
ludique du réel?

Naufrage, Salmacis, reine de Dalmacie, renoncera à Cléandre et acceptera la main du roi d'Epire. Mais que de princesses amoureuses d'un beau guerrier dont on ne sait pas toujours la naissance !

C'est Célanire, qui s'est éprise du vaillant Cléomédon :

> « ... ses exploits glorieux
> Lui conservent ce cœur que gagnèrent ses yeux » (II, 1).

C'est l'héroïne d'*Orizelle,* une princesse lombarde, qui aime le général Dorimon. Ce sont, dans *Pyrandre et Lisimène,* deux princesses, Orante et Lisimène, qui se disputent le cœur de Pyrandre, un soldat valeureux dont on ignore l'origine. Orante déclare ingénuement son amour à sa rivale (I, 1) :

> « — Je confesse que j'aime et veux aimer Pyrandre.
> Tu dis qu'il n'est point né de parents relevés (...) ;
> Mais, qu'importe, dis-moi, qu'il soit de sang illustre,
> Si de sa vertu seule il tire tant de lustre ! »

Et Lisimène « cède au même mal » (I, 2) :

> « ... aimons Pyrandre. On ignore son être,
> Mais par ses actions, il s'est trop fait connaître. »

Ce sont de même, dans *Dom Sanche d'Aragon,* la reine de Castille et la princesse d'Aragon, toutes deux éprises de « l'inconnu Carlos ». Dans *Le Cid,* l'Infante de Castille rêve de Don Rodrigue, que son rang lui interdit d'épouser, et, dans *Eudoxe,* une impératrice de Rome épousera Ursace, un simple chevalier.

Sans doute, quelques-unes de ces princesses n'oublient pas la distance que leurs conditions respectives mettent entre elles et l'homme qu'elles aiment. L'infante du *Cid* ne saurait déchoir (I, 2) :

> « — J'épandrai mon sang
> Avant que je m'abaisse à démentir mon rang. »

Done Elvire comme Done Isabelle ne perdent pas le sentiment de leur « gloire » :

> « — Je sais ce que je suis et ce que je me dois »,

déclare la première (*Dom Sanche*, I, 1), et la seconde :

> « ... mon âme pour lui, quoique ardemment pressée,
> Ne saurait se permettre une indigne pensée » (II, 1).

Mais Done Urraque se laisse aller à rêver : elle pourrait aimer « sans honte » un Rodrigue victorieux, qu'elle voit déjà « assis au trône de Grenade » (II, 4). Done Elvire pense que Carlos pourrait bien être un de ces « princes déguisés » qu'on a vu

> « Signaler leur vertu sous des noms supposés » (I, 1) ;

et Isabelle soupire devant lui (IV, 5) :

> « — Que n'êtes-vous Dom Sanche ? »

Si les héroïnes cornéliennes ont trop le sentiment de leur gloire pour braver ouvertement l'ordre social, d'autres femmes n'hésitent pas à proclamer que la gloire militaire vaut bien la naissance et que l'amour est plus fort que les hiérarchies sociales. Alors que Cléomédon ose à peine soupirer pour la princesse Célanire, celle-ci lui redonne de l'espoir en lui disant que, pour elle, ses exploits valent mieux qu'une longue lignée d'ancêtres (II, 2) :

> « — Si du sort inconstant l'orgueilleuse puissance
> Nous cache injustement le lieu de ta naissance,
> Si tu n'es pas connu par un nombre d'aïeux
> Qu'une erreur idolâtre ait mis au rang des dieux,
> C'est assez que tes faits te rendent adorable
> Et que, par ta vertu, tu sois considérable. »

Paroles qui font écho aux déclarations d'Orante, justifiant devant Lisimène son amour pour Pyrandre (I, 1) :

> « — Tu dis qu'il n'est point né de parents relevés
> Dont les vieux titres soient dans les palais gravés.
> Mais qu'importe, dis-moi, qu'il soit de sang illustre,
> Si de la vertu seule il tire tant de lustre. »

Fières paroles, qui affirment la supériorité du mérite personnel sur la naissance, alors que pour Done Elvire ou pour Lisimène, qui expriment encore l'idéologie aristocratique, la bravoure militaire, indissociable de la noblesse, ne peut qu'attester la haute naissance du héros[18].

Une femme va plus loin encore : l'infante de Pologne, pressée par Orantée et par Laure de se prononcer sur une union inégale que désapprouve un père, déclare que l'amour n'a que faire de l'autorité parentale ou des hierarchies sociales, et que deux êtres qui s'aiment, quelque inégalité que la fortune ait mise entre eux, ont le droit de s'unir et d'être heureux (*Laure persécutée*, V, 8) :

> « — L'amour n'est point sujet au respect d'un parent,
> Il dépend de soi seul : cet enfant volontaire,
> Pour n'en point respecter, voulut naître sans père.
> Immortel, il possède un absolu pouvoir
> Et ne relève point de la loi du devoir.
> Donc, deux partis s'aimant et concourant ensemble
> Au dessein que l'hymen sous ses lois les assemble,
> Quelque inégalité qui divise leur sort,
> L'amour étant égal doit être le plus fort,
> Et, tout puissant qu'il est, à son pouvoir suprême
> Soumettre la fortune et la nature même. »

Exaltation de la gloire personnelle au détriment de la naissance, affirmation de la primauté de la passion sur l'ordre social — peut-on voir là une révolte contre les contraintes

---

18. Voir ce que déclare Lisimène à propos de Pyrandre (I, 2) : on « ignore son être », mais

> « Quiconque voit ses mœurs ne peut juger sinon
> Que son rang est illustre aussi bien que son nom. »

d'une société oppressive ? une remise en question de l'éthique traditionnelle ?

Les dénouements de ces tragi-comédies où un prince s'éprend d'une inconnue, une reine d'un aventurier, soldat ou pirate, montrent qu'il n'en est rien. Les princesses qui, comme Elvire, Lisimène ou Argénie, soupçonnaient la naissance aristocratique de l'homme qu'elles aimaient, ne s'étaient pas trompées. Dans toutes les pièces où l'ordre social semblait être mis en question pour un amour « inégal », une reconnaissance *in extremis* vient remettre les choses en place. Cléomédon, Pyrandre, Carlos ne sont pas des roturiers ne devant leur nom qu'à leurs exploits. On apprend à la fin des tragi-comédies dont ils sont les héros, que le premier est un fils de la reine Argire et du « roi des Santons », le second, le vrai fils du roi d'Albanie, et Carlos, l'héritier légitime du royaume d'Aragon. Le pseudo-jardinier, dont la princesse Argénie s'était éprise, est un « prince déguisé », et les « pirates » de Desfontaines ou de Mairet reprennent au dénouement leur rang de prince. Quant à Laure ou à Cariste, dont les rois ne voulaient absolument pas pour brus, une révélation opportune nous apprend qu'elles sont respectivement infante polonaise ou princesse de Corinthe. Ainsi, tout rentre dans l'ordre ; l'idéologie aristo-cratique est sauve — la « naissance » de ces héros explique la grandeur de leurs exploits —, et l'ordre social est préservé. Célanire, Lisimène, Isabelle, Argénie peuvent épouser les princes qu'elles aiment ; Cariste et Laure sont dignes des fils de rois qui leur ont donné leur cœur. Il faudra attendre le XVIIIe siècle et la comédie sérieuse pour voir un gentilhomme épouser une roturière.

Afin de déjouer les obstacles de toute sorte — parents hostiles, rivaux dangereux, interdits sociaux —, qui le contra-rient, l'amour doit être ingénieux. Ainsi, pour parvenir à leurs fins, qu'il s'agisse d'approcher la personne aimée, d'éliminer un rival, de reconquérir un inconstant, galants et amoureuses recourent volontiers au déguisement. On peut déguiser ses sentiments ou sa situation véritable : une jeune fille feindra d'aimer quelqu'un d'autre pour décourager un galant ; un « cavalier » s'arrangera pour faire croire au rival qu'il veut évincer, qu'il est au mieux avec une dame. Plus encore qu'à la feinte, la tragi-comédie recourra au déguisement matériel : un amant se fera passer pour un peintre, un jardinier, un marchand, pour s'introduire chez sa belle ; parfois même, il entrera à son service sous la robe d'une jeune fille. Nombreuses aussi sont les femmes qui, pour se lancer sur les routes à la recherche d'un amant disparu ou à la poursuite d'un volage, s'habilleront en « cavaliers », ce qui leur vaudra bien des aventures. Feintes et déguisements sont évidemment des ressorts indispensables à l'intrigue : il en découle des quiproquos et des méprises, qui favorisent ou contrarient les amours des personnages et constituent un élément essentiel de l'action. Néanmoins, la fréquence de ces déguisements, aussi bien dans la tragi-comédie que dans la comédie, leur gratuité parfois — telle feinte, qu'on rencontre dans l'*Amélie* de Rotrou (V, 2-4), n'a aucune utilité pour l'intrigue —, témoignent d'un goût — faut-il dire « baroque » ? — des contemporains pour l'illusion, d'un certain plaisir à se laisser un moment abuser par des « apparences trompeuses », d'une prédilection pour le jeu et la fiction romanesque. En même temps, l'emploi du « travesti » — hommes habillés en femmes, jeunes filles vêtues d'habits masculins — et les situations ambiguës qu'il provoque, révèlent une certaine complaisance pour un érotisme équivoque, qui n'est pas sans rappeler les jeux pas toujours innocents du théâtre élisabéthain.

Un moyen de travestir la réalité, souvent employé dans l'univers tragi-comique, est le vieux procédé dramatique de la substitution, qu'il s'agisse d'un échange d'enfants au berceau, ou d'un personnage qui prend la place d'un autre. Les dramaturges en tirent des situations piquantes, plaisantes ou tragiques. Le stragème de la reine qui, dans *Occasions perdues*, déclare son amour à Clorimand sous le nom de sa suivante Isabelle, permet à Rotrou de développer une série de méprises amusantes.

Par contre, la substitution à laquelle l'infortunée Cassandre a recours, dans *Tyr et Sidon*, pour tenter de supplanter sa sœur Méliane dans le cœur de Belcar, a une issue tragique[19]. Dramatiques aussi les conséquences d'une autre substitution, dans *Pyrandre et Lisimène*, qui risque d'entraîner la mort du héros[20].

Citons encore deux substitutions assez extraordinaires. Au troisième acte de *Clitophon*, le héros poursuit sur mer Cherée, qui lui a enlevé sa maîtresse, Lucipe. Pour arrêter ses poursuivants, le ravisseur jette à l'eau le corps d'une autre femme, qu'il a décapitée et à laquelle Clitophon, désolé, rend les derniers devoirs, persuadé qu'il s'agit de Lucipe. Cette substitution macabre, il est vrai, est seulement racontée. Dans *Agarite*, Durval, lui, nous fait *voir* un spectacle merveilleux. Le roi, épris de l'héroïne, est devenu fou de douleur en apprenant sa mort — on a découvert ses vêtements près d'une rivière. Dans son égarement, il adore la statue de la disparue, lorsque celle-ci s'anime et répond à ses témoignages passionnés : la princesse Amélise avait pris la place de la statue, et elle gagne ainsi le cœur du roi, renouvelant par son stratagème le mythe de Pygmalion.

A côté de ces substitutions, qui rendent parfois les intrigues bien compliquées — mais les contemporains adoraient ces imbroglii —, une autre manière de travestir la réalité est l'imposture. Là encore, c'est la passion qui inspire à un jaloux ou à une amoureuse dépitée les propos calomnieux ou la feinte, destinés à brouiller un couple d'amants ou à éliminer un rival dangereux. Ce sont parfois de fausses lettres : en modifiant quelques mots dans un billet de Perside, Cléonice persuade Cloridan que sa maîtresse est morte et espère gagner ainsi son cœur (*L'Hypocondriaque*, III, 1-2) ; de son côté, le roi déloyal de *L'Heureuse Constance* essaie, grâce à deux lettres « supposées », de faire croire à Rosélie et à Alcandre que chacun a été infidèle à l'autre (IV, 5-7).

---

19. Voir plus haut, p. 132.
20. Voir p. 147. On a vu aussi dans les pages qui précèdent d'autres conséquences fâcheuses — risque d'union incestueuse ou crainte angoissante de pareille union — de substitutions d'enfants.

D'autres impostures sont plus élaborées. On a vu le machia-vélisme avec lequel, dans *Madonte*, la terrible Lériane persua-dait Damon de la trahison de sa maîtresse, puis essayait de perdre celle-ci en produisant un enfant dont elle la prétendait mère. Non moins machiavélique est la ruse d'Octave qui, pour détacher Orantée de Laure, dont il est lui-même épris, fait passer la suivante de Laure pour sa maîtresse et échange avec elle des propos amoureux sous les yeux d'Orantée, désespéré de se voir ainsi trahi (*Laure persécutée*, III, 7)[21]. Ingénieux aussi le double stratagème — inspiré de l'artifice d'Alcyre, dans *L'Astrée*, III, 4 —, auquel recourt Cléonte pour brouiller Nérée et Arsidor : il déclare d'abord à Arsidor qu'il passe ses nuits avec Nérée et entre, devant son rival, dans la maison de la belle — en fait, il reste dans le jardin — ; puis, il fait écrire par Arsidor, soi-disant pour le roi, une lettre galante à une dame, lettre qu'il se hâte de montrer à Nérée, persuadée à son tour de l'infidélité de son amant. La ruse sera finalement déjouée, et Cléonte paiera son imposture de sa vie (*Le Trompeur puni*). La même feinte, employée par un autre jaloux, risque de trans-former en tragédie la *Célie* de Rotrou : Flaminie, dépité de voir Célie lui préférer son frère Alvare, se fait fort de lui prouver l'infidélité de la jeune fille (III, 8) :

> « — Ce soir, vers la minuit, rendons-nous sur les lieux,
> Et quand vous apprendrez par votre propre vue
> De quelle impatience elle attend ma venue,
> Laissez blâmer alors votre crédulité
> De trop de confiance et de légèreté. »

Alvare, qui voit Flaminie pénétrer chez la belle, vitupère la conduite de la jeune fille, que le père, indigné, poignarde (IV, 4)[22]. Heureusement, Célie survivra à sa blessure, et, l'imposteur repentant ayant avoué son subterfuge, elle pourra

---

21. Dans *L'Indienne amoureuse*, de l'obscur Du Rocher, de la même façon, pour séparer Cléraste et Axiane, Méandre faisait mettre à Rozemonde les vêtements de celle-ci et la rejoignait, la nuit, devant Cléraste. Ce dernier, se croyant trompé, se précipitait dans l'eau.
22. Voir plus haut, p. 135.

épouser Alvare. On n'en finirait pas d'énumérer les exemples d'impostures des amants rebutés.

Il arrive aussi aux personnages de déguiser leurs sentiments, soit qu'ils dissimulent une passion véritable, soit qu'ils feignent des sentiments qu'ils n'ont pas. *L'Amant libéral* nous offre deux exemples piquants de dissimulation : c'est d'abord le vieux cadi, Ibrahim, qui, cachant sous un motif honorable son propre désir pour la belle Léonise, met d'accord les deux bachas qui se la disputaient, et se charge en leur nom de la présenter au sultan, comptant bien profiter lui-même de ce « beau présent » (II, 3) ; puis Mahamut et Léandre, promettant au même Ibrahim de servir fidèlement ses amours, non sans équivoque (III, 2) :

> MAHAMUT. « — Si son cœur n'est de glace, incapable de
> [flamme,
> Léandre assurément pourra toucher son âme.
> LÉANDRE. — Oui, je promets d'agir, plein de zèle et de foi,
> Avec autant d'ardeur que si c'était pour moi. »

Ailleurs, pour écarter un amant importun, une jeune fille feint une passion violente pour ... une autre femme, travestie. Ecoutons Nise se déclarer à Céliane, travestie en jardinier, devant Florimant qui voulait épouser la jeune fille (*Céliane*, V, 4) :

> « — Il est vrai que je suis d'une humeur trop facile ;
> Je suis coupable autant que ta naissance est vile...
> Mais un aveugle enfant me brûle de ses flammes...
> Il m'a réduite au point de ne changer jamais
> Et d'arrêter en toi tous les vœux que je fais.
> J'épouse Florimant, mais ce froid hyménée
> N'est qu'une couverture à ton bien destinée ;
> Ce nom ne servira qu'à couvrir nos plaisirs. »

On comprend après cela que Florimant soit moins disposé à épouser une créature aussi « lascive » et qu'il la rende à son ami Pamphile[23]. Ces feintes, assez fréquentes chez Rotrou[24], plus rares ailleurs, relèvent plutôt de la comédie.

_____

23. On a vu plus haut (chap. III, p. 118-119) le jeu auquel se livrent les deux amants d'*Amélie* : la jeune fille feint d'aimer un autre homme — en fait,

Le déguisement proprement dit, par contre, apparaît constamment dans la tragi-comédie. L'amour pousse les hommes et les femmes à se travestir pour approcher l'être aimé, pour venir à son secours, pour le retrouver ou le reconquérir, et ces travestis entraînent inévitablement des situations singulières, que les spectateurs goûtaient particulièrement.

Il est banal, au théâtre, de voir un homme se déguiser pour s'introduire chez la jeune fille dont il est amoureux, et les exemples ne manquent pas ici. Isimandre s'habille en marchand pour pénétrer chez Orante (*Orante*), le prince Cléarque se déguise en jardinier et peut ainsi converser avec la princesse Argénie (*Le Prince déguisé*), Lucidor voit Célie « sous un habit de peintre » (*La Pèlerine amoureuse*), et les princes de *Climène* se costument en bergers pour courtiser leurs belles. Il est plus surprenant de voir les galants se travestir en femmes. C'est pourtant ce que fait Poliarque, un roi de France (!), qui, tombé amoureux d'une princesse en voyant son portrait, se fait passer pour fille pour s'introduire dans le château où on tient la belle enfermée (*Argénis et Poliarque*). Sur le conseil de son valet, Agésilan déguise aussi son sexe et entre sous le nom de Daraïde au service de la belle Diane (*Agésilan de Colchos*). Gougenot (*La Fidèle Tromperie*), Rampale (*Bélinde*) nous montrent de même des princes s'introduisant chez leurs belles sous un vêtement féminin.

Mais ce sont le plus souvent des femmes qui se travestissent, s'habillant en « cavaliers » pour partir à la recherche d'un amant disparu ou reconquérir un volage. Travesti pas aussi invraisemblable qu'on pourrait le croire : un habit masculin était plus commode pour aller à cheval et, sur des routes peu sûres, pouvait éviter quelques périls à une belle voyageuse. Surtout, ce genre de travesti offrait au dramaturge l'occasion

une femme travestie — pour jouer un tour à son amant Dionis, qui vitupère l'infidèle (V, 2) ; puis ce dernier, désabusé par un ami, feint à son tour l'inconstance, ce qui provoque la colère de l'héroïne, jusqu'au moment où, détrompée, elle tombe dans ses bras (V, 4).

24. Voir encore *L'Heureuse Constance* (IV, 4) ; *La Pèlerine amoureuse* (I, 3).

de maintes situations romanesques et piquantes. Aussi, après Félismène, l'héroïne de Hardy qui se costume en page pour rejoindre l'inconstant Félix en Allemagne, nombreuses seront les amazones partant, vêtues en hommes, pour retrouver un galant. Citons Camille, la « généreuse Allemande » de Mareschal, Cloris *(Amélie)*, Hyanisbe *(Scipion)*, Théodose *(Les Deux Pucelles)*, Cléone (*Le Feint Alcibiade*). Certaines, comme l'héroïne du Tasse, n'hésitent pas à se battre contre des hommes, sous l'armure ou le vêtement qui leur assure l'incognito. Ainsi, Lorise (*L'Infidèle Confidente*), Hippolite (*Lisandre et Caliste*) ou Astérie (*Cariste*) prennent les armes pour défendre leur amant dans un duel judiciaire; Léocadie (*Les Deux Pucelles*) se porte au secours de l'infidèle Antoine, attaqué par des voleurs; Oronte (*La Sœur valeureuse*) croise le fer avec un rival de son frère ou avec son frère lui-même; Argénie (*Le Prince déguisé*) combat contre son amant, déguisé lui aussi, pour lui sauver la vie.

Déguisements et travestis provoquent immanquablement des quiproquos plaisants, des situations inattendues, des relations curieusement ambiguës. Nombreuses sont les méprises comiques dûes à un travesti masculin. On a vu que, dans deux comédies de Rotrou, deux jeunes filles, en feignant une vive tendresse pour un prétendu cavalier, réussissaient, l'une à dégoûter un amant indésirable (*Céliane*), l'autre à dépiter malicieusement un galant (*Amélie*). Involontairement cette fois, l'héroïne de *Dom Garcie de Navarre*, Done Elvire, provoque une belle colère chez son jaloux en embrassant Done Ignès, que D. Garcie à cause de son travesti, prend pour un rival :

> « — Je suis, je suis trahi, je suis assassiné :
> Un homme (sans mourir te le puis-je bien dire ?),
> Un homme dans les bras de l'infidèle Elvire ! » (IV, 7.)

Souvent, la prestance d'un de ces pseudo-cavaliers provoque chez une autre femme quelque émoi. Si l'amour insensé de Célie pour sa rivale, Félismène, venue, habillée en page, rechercher son amant infidèle, a une fin malheureuse — l'infortunée meurt de douleur, en se voyant repoussée par celui qui ne peut évidemment répondre à sa passion —, ce genre de méprise aboutit en général à des situations comiques. Dans *Les Deux Pucelles*, la tendre hôtesse se laisse prendre aux « attraits si doux » ou à « l'aimable teint » des deux cavaliers qui viennent loger chez elle, erreur qui lui vaut une belle scène de jalousie de son mari (II,7). Dans *Cléagénor et Doristée*, ce sont deux femmes, la maîtresse et la suivante, qui tombent amoureuses du beau Philémond engagé par Théandre, et qui lui font tour à tour des déclarations d'amour, sans s'apercevoir que le beau page, ici encore, est une jeune fille travestie[25].

Mais les quiproquos ne sont pas toujours comiques, et certains entraînent des situations particulièrement dramatiques. On a vu que l'imposture du héros de Téléphonte avait failli lui être fatale[26].

On pourrait en citer quelques autres où le dévoilement d'un travesti est d'un effet particulièrement saisissant. Dans *La Généreuse Allemande*, le volage Aristandre, poursuivi par la populace, est sauvé par un guerrier qui s'interpose, l'épée à la main : c'est Camille, sa maîtresse, dont le courage arrête les assaillants (I, V, 5). Dans *Lisandre et Caliste*, un combat judiciaire doit décider de la culpabilité ou de l'innocence du héros : un champion inconnu combat pour Lisandre ; on arrête le combat, l'inconnu lève son heaume, et on reconnaît une femme, Hippolite, dont son adversaire s'éprend aussitôt (IV, 2). Dans *Le Prince déguisé*, Cléarque ayant été surpris avec la princesse Argénie, un duel judiciaire doit montrer lequel des deux amants est le coupable et mérite la mort. Cléarque, qui a pu sortir de prison, combat *incognito* pour Argénie, un inconnu s'est fait le champion de Cléarque ; Cléarque terrasse son adversaire, et on s'aperçoit que c'est... Argénie, qui voulait sauver son amant ! (V, 8).

---

25. Dans la *Bélinde*, de RAMPALE, un double travesti donnait lieu encore à d'amusants quiproquos. Le prince Polydor, venu à Chypre travesti en fille et entré au service de la princesse Bélinde, est l'objet des avances du vieux roi, qui ne soupçonne pas son sexe véritable. Pour tenter de « le » fléchir, le roi recourt aux services d'un chevalier, qui est lui-même une fille travestie. La situation est bien compliquée, mais nous vaut quelques dialogues plaisants.

26. Voir ci-dessus, p. 137.

Mais les travestis ne donnent pas seulement lieu à des méprises comiques ou à des coups de théâtre dramatiques ; ils sont parfois prétextes à des scènes piquantes, où se fait jour un érotisme un peu pervers. Les galants travestis en femmes pour approcher leur maîtresse peuvent, grâce à leur déguisement, se permettre quelques privautés. Céladon qui, dans l'Astrée (III, 10), sous l'habit de la druidesse Alexis, vivait dans l'intimité de sa maîtresse, a plusieurs émules dans la tragi-comédie. Ainsi Agésilan qui, entré au service de Diane sous le nom de Daraïde, voit sa belle endormie et, non sans émotion, lui baise les mains (III, 2) :

« — Ménage, heureux amant, à cette heure importune
La belle occasion que t'offre la fortune,
Et prend mille baisers sur ses divines mains,
Qui tiennent enchantés les cœurs de tant d'humains. »

Puis, comme son valet Darinel se moque de sa timitidité, il s'enhardit et la baise sur la bouche :

« — O plaisir sans pareil !
Une si glorieuse et si douce licence
A mes travaux passés est trop de récompense. »

On s'embrassait encore sur le théâtre dans les années 1630 et cela ne choquait personne ; mais le travesti du héros donne à ces baisers quelque chose de piquant : tout en sachant qu'Agésilan est un homme, le spectateur voit une jeune fille en embrasser passionnément une autre. Il semble même que Rotrou montre quelque complaisance à évoquer cette relation amoureuse entre deux personnes apparemment du même sexe : Ardénie, la confidente de Diane, constate que jamais un homme n'a

« pour une dame
Témoigné plus de zèle et montré plus de flamme »,

et elle justifie cette tendresse par un argument que ne désavoueraient pas les sectatrices de Lesbos, en invoquant

« ... le plaisir d'aimer la beauté dans l'extrême
Qu'elle ne peut trouver que dans son sexe même ».

Rotrou représente à plusieurs reprises dans son théâtre ce genre de rapports ambigus. Si, dans *L'Heureux Naufrage*, on voit Cléandre serrer dans ses bras Lysanor, c'est-à-dire sa maîtresse Floronde habillée en homme, d'autres soucis empêchent les deux personnages de s'attarder à ces caresses (II, 6 et IV, 2). Mais, dans d'autres pièces, Rotrou se plaît à montrer les jeux érotiques entre des femmes, dont le travesti de l'une ne fait pas oublier le véritable sexe. Ainsi, dans *Cléagénor et Doristée*, on assiste aux déclarations brûlantes de Diane et surtout de Dorante au beau Philémond, c'est-à-dire à Doristée :

« — Tu me charmes ensemble et tu me fais mourir,
Et c'est là le tourment que tu peux secourir »,

lui avoue Diane (IV, 2) ; et Dorante, plus pressante :

« — Viens, et par un baiser réponds à mes discours » (IV, 3)[27]

Dans *Amélie*, l'héroïne et Cloris, travestie, s'amusent à prolonger un badinage érotique, se sachant observées par l'homme qu'elles veulent mystifier (V, 2) :

CLORIS. « — Je n'adore que vous, et vos seules beautés
Ont mon âme ravie et mes sens enchantés.
AMÉLIE. — Espérez du remède à l'ardeur qui vous presse,
Et que ces doux baisers vous signent ma promesse. »

----

27. Inversement, Théandre, qui a découvert que Philémond était une femme, tente aussi de l'embrasser, en prétendant qu'elle lui rappelle un amour ancien : « — Ah ! reçois ces baisers dus à son souvenir,
        Je sens la même bouche... »
On a beau savoir que Philémond est une femme, le costume masculin qu'elle porte rend la scène équivoque.

Surtout, dans *Céliane*, le travesti de l'héroïne permet à Rotrou, sous un prétexte d'intrigue[28], de développer deux scènes particulièrement lascives. Dans la première (V, 4), Céliane, travestie en jardinier, se montre très passionnée envers Nise :

> « — Ma bouche maintenant veut d'autres exercices ;
> Sa violente ardeur ne se peut contenir ;
> Je sais mieux vous baiser que vous entretenir » ;

Et Nise paraît toute disposée à répondre à ses ardeurs, si bien que Florimant s'éloigne, écœuré, tandis que Julie, qui a assisté à la scène, félicite les deux actrices de leur jeu : « — La feinte est bien conduite. » Il s'ensuit un badinage galant entre les trois jeunes filles, nouveau jeu d'un érotisme évident :

> JULIE (à Céliane). « — Qui t'a si bien instruite en l'art de
> [courtiser ?
> Mille fois ma franchise à ta voix s'est rendue,
> Et je brûle d'amour de t'avoir entendue.
> CÉLIANE (l'embrassant). — C'est gausser à propos ; mais peu de
> [paysans[29],
> Sans me vanter beaucoup, sont si bons courtisans.
> NISE (les voyant s'embrasser). — Dieux ! quelle affection est
> [pareille à la vôtre ?
> Mon amant, à mes yeux, en caresser une autre,
> La baiser, l'embrasser ! » (…)
> CÉLIANE. — Je me résous plutôt à l'infidélité
> Que de rien refuser d'une telle beauté.
> Nise, accordez ce point à l'ardeur qui me presse
> Que, vous étant ma femme, elle soit ma maîtresse. »

Et après cet étonnant projet de « ménage à trois » saphique, le jeu recommence à la scène suivante (V, 5). On y entend à nouveau Céliane demander à Nise « cent baisers pris sur (sa) belle bouche » ; à quoi l'autre répond :

---

28. Par ce stratagème, on le sait, Céliane veut rebuter Florimant, et aussi un autre soupirant, Philidor.
29. Céliane est vêtue en « jardinier ».

« — De qui n'en obtiendrait cette bouche vermeille ?
Baisez-moi, j'y consens. »

Ces jeux érotiques se déroulent cette fois sous les yeux de
Philidor, que Julie a fait venir pour l'édifier sur les sentiments
de Céliane !

Privautés qu'un travesti féminin permet à un galant, déclarations enflammées d'une femme à un « cavalier » qu'on sait
être une autre femme, caresses échangées entre deux jeunes
filles grâce à l'alibi du vêtement masculin de l'une d'elles, sous
les yeux d'un spectateur dont elles connaissent la présence, il y
a là, chez Rotrou, — mais on trouverait des scènes analogues
chez ses contemporains[30] —, la marque d'une certaine sensualité érotique, voire un goût pour des jeux ambigus, expression
de sentiments assez troubles, entre personnes du même sexe.
Après 1635, l'empire des bienséances fera disparaître ce genre
de scènes du théâtre.

A côté de ces thèmes, qui se rattachent tous à la passion
amoureuse, on rencontre aussi dans nos tragi-comédies
d'autres motifs, ceux-là d'inspiration morale ou politique :
réflexions sur la tyrannie et l'exercice légitime du pouvoir royal
(*Tyr et Sidon, passim ; Arétaphile,* II, 1 et V, 1 ; *Edouard,* I, 2
et II, 1 ; *Téléphonte,* IV, 2 ; *L'Amour tyrannique,* II, 3 ; *Trasibule,* I, 2-3 ; *Le Vassal généreux,* II, 2) ; sur le rôle néfaste des
mauvais conseillers (*Eudoxe,* I, 4 et III, 1 ; *Ibrahim,* II, 4 ;
Edouard, III, I) ; sur les bienfaits de la paix et les malheurs de
la guerre (*Tyr et Sidon,* I, I, 2 ; *Cléomédon,* III, 5) ; sur les
charmes de la vie rustique et la vanité des grandeurs (*Tyr et
Sidon,* I, I, 2 ; *L'Hypocondriaque,* V, 1 ; *Iphigénie,* I, 5 ;
L'Heureuse Constance, III, 2).

---

30. Outre la *Félismène* de HARDY, citons, de GOUGENOT, *L'Infidèle Tromperie* ; de MARESCHAL, *La Sœur valeureuse* (avec la tendresse incestueuse de
l'héroïne pour son frère et l'amour d'Olympe pour Oronte, c'est-à-dire
l'héroïne travestie) ; de RAMPALE, la *Bélinde* (un roi s'éprend d'un prince travesti, l'héroïne, d'une fille habillée en garçon) ; de RAYSSIGUIER, *La Célidée* (où
jeune fille quitte son amant pour un certain Alcandre, qui est encore une fille
travestie).

Ces thèmes sont parfois heureusement mis « en situation ». C'est le cas dans *Trasibule* (I, 2), où l'usurpateur Diomède justifie devant son ministre Thébalde sa décision de faire périr l'héritier légitime de la couronne :

> « — Il faut, pour assurer sa puissance et ses jours,
> Tarir du sang royal et la source et le cours :
> Les tyrans teints de sang, devenant redoutables,
> Ne peuvent l'épargner sans se rendre coupables. »

Dans *Eudoxe*, un bon et un mauvais conseiller s'affrontent en un dialogue dramatique devant le roi Genséric (I, 4), le premier estimant qu'un monarque doit être sage :

> « — Qu'il règne sur soi-même en régnant sur autrui
> Et qu'il prenne la loi qu'on doit prendre de lui »,

tandis que le second proclame :

> « — A qui peut tout oser toute chose est propice[31]. »

Dramatique aussi la joute oratoire qui, dans *Cléomédon*, oppose le héros à un courtisan : Cléomédon veut dissuader le roi de signer une paix honteuse qui accorde à l'ennemi ce qu'il convoitait :

> « — Il voulut votre sceptre et vous l'abandonnez,
> Il voulut notre perte et vous vous ruinez ;
> Vous le mettez au but où on le vit prétendre,
> Vous donnez au voleur le bien qu'il ne put prendre ;
> Et, lorsqu'il est trop faible et qu'il est sans vigueur,
> Vous lui prêtez vos mains pour vous percer le cœur. »

Son interlocuteur, qui préfère voir l'héritière du trône épouser le prince ennemi qu'un soldat d'aventure, condamne au contraire une guerre ruineuse pour le pays :

---

31. La question des limites du pouvoir des rois est encore posée très nettement dans *L'Amour tyrannique*, où, à deux reprises (I, 2 ; III, 3), Pharnabaze, le gouverneur de Tyridate, essaie de modérer la frénésie du prince.

« — Tandis que l'ennemi trouve ses funérailles
Où vous trouvez la gloire et le gain des batailles,
Le peuple ruiné languit sous les impôts. » (III, 5.)

Parfois aussi — *Eudoxe,* III, 1 ; *Tyr et Sidon,* I, I, 2 —, ces
développements ne sont que des lieux communs destinés à
« amplifier » le discours d'un personnage et plus ou moins
« plaqués » sur l'intrigue. Aussi avons-nous jugé plus intéressant d'insister sur les thèmes amoureux — force de la passion,
désespoirs et violences qu'elle provoque, conflits familiaux et
sociaux qu'elle suscite, artifices qu'elle emploie et situations
qui en découlent —, thèmes qui constituent les ressorts essentiels de la tragi-comédie et où se reflètent la sensibilité et l'idéologie d'une époque.

CHAPITRE V

Un théâtre expressionniste

Depuis 1562, la France a connu une longue période de guerres et de misères. Après les massacres et les violences des guerres de religion[1], le règne d'Henri IV ne fut qu'un trop court répit, suivi de nouveaux désordres, avec les rébellions des princes, les séditions des protestants et la cruelle répression des armées royales, les guerres étrangères et enfin cette nouvelle guerre civile que fut la Fronde. Les ravages des armées, qu'elles soient françaises ou étrangères, protestantes, frondeuses ou royales, les tueries, les pillages, les violences de toute sorte, auxquels s'ajoutèrent les famines et les épidémies, ont profondément marqué les sensibilités, imprimant chez les uns l'angoisse et la hantise des cruautés et des violences passées, entretenant chez les autres le goût de la violence et une brutalité naturelle[2]. Il n'est pas étonnant que l'écho de ces malheurs retentisse dans les œuvres littéraires de l'époque, soit que les spectateurs goûtent un plaisir plus ou moins trouble à voir

---

1. « Ce serait horreur, écrivait Du Vair, de raconter combien de voleries, de violements, d'incestes, de sacrilèges se commettent tous les jours. »
2. M. Magendie remarque que beaucoup de nobles ont été « des natures violentes, emportées... cédant sans résistance aux mouvements spontanés, prompts au geste brutal » (*La politesse mondaine et les théories de l'honnêteté en France au XVIIᵉ siècle,* I, p. 63) ; et il cite plusieurs anecdotes — rapts, duels, assassinats — illustrant cette brutalité.

représenter les horreurs et les misères dont ils se croient délivrés[3], soit qu'ils se complaisent encore au spectacle des cruautés ou des brutalités auxquelles la fréquentation quotidienne de la mort les a endurcis[4].

Les tragédies sanglantes du début du siècle, comme, de façon plus durable, la tragi-comédie, vont satisfaire ce goût du public pour une action mouvementée et des émotions fortes. Complaisance pour les scènes de violence, où l'on force les femmes, où les épées s'entrechoquent, où le sang coule ; plaisir de l'imagination, toujours sollicitée par des situations imprévues et des péripéties nouvelles ; délices du « suspense », où l'on craint pour l'héroïne et où l'on tremble pour la vie du héros ; gros rires aussi, qui détendent du pathétique, devant les gaillardises d'un galant ou les balourdises d'un valet, ou bien compassion émue pour les amants qu'on persécute et pour les séparations déchirantes — autant d'aspects d'une sensibilité « baroque », avide de frissons et d'horreur, d'imprévu et de mystère, de mouvement et de spectacle, que la tragi-comédie va combler, avant que les exigences esthétiques des théoriciens et la tyrannie des « bienséances », transformant le goût du public, n'entraînent la désaffection pour le genre et sa disparition au profit de la tragédie et de la comédie « classiques ».

Pour donner à leurs spectateurs cette griserie de l'imagination et de la sensibilité qu'ils recherchent, les auteurs de tragi-comédies ont eu recours à toutes les ressources de la mise en scène et de l'expression gestuelle, en même temps qu'ils ont utilisé une langue encore drue et une rhétorique très consciente de ses moyens. Aussi risquerons-nous le terme anachronique d'« expressionniste » pour qualifier un théâtre qui cherche avant tout à parler aux yeux, à l'imagination et à la sensibilité

---

3. « Si les gens policés cherchaient dans les romans et dans les pastorales l'oubli des violences et des horreurs du temps, le gros public éprouvait en fait une satisfaction et un plaisir inavoués à les retrouver sur la scène. » (R. LEBÈGUE, *Etudes sur le Théâtre français,* p. 372.)

4. On sait que les exécutions capitales attiraient des foules considérables et certains dramaturges ne manqueront pas de porter sur le théâtre des supplices, des prisons, des scènes macabres. Outre les tragi-comédies, le *Mémoire* de MAHELOT est très révélateur sur ce goût pour le sang, l'horrible et le macabre.

du public par l'importance qu'il accorde au spectacle et au pouvoir suggestif des mots.

Le goût des contemporains pour les éléments spectaculaires de la représentation dramatique est attesté par de nombreux témoignages. Les uns — Rayssiguier, d'Aubignac — le blâment ; d'autres — Ogier, Mareschal, Scudéry — l'approuvent ; mais tous le reconnaissent et les dramaturges s'ingénieront à le satisfaire. Ces éléments spectaculaires peuvent être très divers — scènes lascives, brutalités et affrontements violents, cérémonies grandioses, magie et surnaturel — et on les rencontre en proportions diverses selon les sujets représentés et selon les tempéraments des dramaturges.

La sensualité et la sexualité ont une place relativement restreinte dans la tragi-comédie. Les « bienséances » — le mot, au pluriel, apparaît en 1639 dans la *Poétique* de La Mesnardière — s'opposent à ce qui peut choquer les conceptions morales du public. Néanmoins, comme le remarque J. Scherer, ce public est « beaucoup plus sensible aux mots grossiers qu'aux situations hardies »[5] et, jusqu'au milieu du siècle, les dramaturges n'hésiteront pas à mettre sur le théâtre des comportements très libres ou à représenter des scènes très suggestives. Dans le théâtre des années 1930, la conduite de certains personnages est loin d'être édifiante : l'adultère, la bigamie, les partages les plus immoraux, l'inceste même y sont monnaie courante[6]. Surtout les auteurs pimentent la représentation par des scènes assez lascives, encouragés peut-être, comme le note J. Scherer[7], par une longue tradition littéraire de poésie érotique. Chez Corneille, chez Rotrou, chez Mareschal, on voit des amants échanger des baisers et des caresses. Une héroïne de *La Sœur valeureuse* — pièce où la jeune Oronte nourrit une « amour violente » pour son propre frère — ayant trouvé « trop froid » le baiser de son amant, en réclame un autre plus ardent (II, 6). Dans *Clitandre*, Rosidor, blessé, reçoit

5. *La dramaturgie classique*, p. 386.
6. *Ibid.*, p. 393 sqq.
7. *Ibid.*, p. 399.

au lit sa fiancée, avec laquelle il échange des caresses (V, 3) :

> « CALISTE. — Que diras-tu, mon cœur, de voir que ta maîtresse
> Te vient effrontément trouver jusques au lit ?
> ROSIDOR. — Que dirai-je sinon que, pour un tel délit,
> On ne m'échappe à moins de trois baisers d'amende. »

Mais, « c'est trop peu d'un baiser » pour Rosidor, qui demande davantage et Caliste doit lui rappeler qu'il est blessé — « j'aurais regret ta santé hasardée » — pour calmer ses ardeurs. Rotrou est encore plus hardi : dans *Céliane,* Nise accueille aussi dans son lit son amant Pamphile, qui lui baise les seins, tandis qu'elle lui explique doctement que

> « tous ces plaisirs sont faux, si la beauté de l'âme
> n'est le premier objet de l'amoureuse flamme » (II, 2) !

Plus loin, on verra à deux reprises Nise échanger de tendres baisers avec un « jardinier » — en réalité, une jeune fille travestie, en présence d'un observateur — Florimant d'abord, puis Philidor — qu'il s'agit de décourager.

Le désir sexuel pousse parfois les hommes à des comportements plus brutaux. Parfois, ils enlèvent la belle, plus ou moins consentante[8] : Amélie s'enfuit avec Dionis (*Amélie*), comme Floronde a suivi Cléandre (*L'Heureux Naufrage*). Mais c'est malgré elle que Doristée est enlevée, une première fois par Ménandre, la seconde, par Ozanor, qui tente d'abuser d'elle (*Cléagénor et Doristée*). Eraste s'apprêtait à arracher Amélie à Dionis — « enfin la proie est nôtre » — quand un cavalier inconnu l'en empêche (*Amélie,* IV, 5). Certains galants, impatientés par la résistance de celle qu'ils convoitent, tentent de la prendre de force : Lisidor, pressant inutilement Cléonice, qui refuse de se laisser baiser les seins, s'écrie :

> « Ah ! c'est trop discourir. Il faut, âme de souche,
> Que la force aujourd'hui les consacre à ma bouche, »

8. Selon M. MAGENDIE, les enlèvements sont encore nombreux avant 1660. Il cite une lettre de PEREISC relatant le rapt de la fille du président Aymar, à Toulon, en 1630 : le chevalier de La Valette la surprend sur le quai, la jette dans une galère aux yeux de ses parents, et met l'épée à la main, ainsi que ses valets, pour interdire tout secours.

et il se fait aider d'un ami pour maîtriser la jeune fille (*L'Hypo-condriaque*, II, 2). De même Pymante, seul avec Dorise, essaie de la violenter (*Clitandre*, IV, 1) :

« Il me faut un baiser malgré vos cruautés »,

et, comme elle le repousse,

« Que sert d'y résister ? Je sais trop la licence
Que me donne l'amour en cette occasion. »

Dans les deux cas, il est vrai, le viol n'a pas lieu : Cloridan arrive à point pour sauver Cléonice et Dorise se délivre de son brutal amant en lui crevant l'œil avec un poinçon. L'épisode lascif fait place à l'affrontement sanglant.

Les scènes de violence, en effet, sont de loin les plus nombreuses dans la tragi-comédie. Le spectateur goûte la représentation des duels, des combats, des batailles ; et les bien-séances auront ici beaucoup plus de mal à s'imposer.

Les duels, très fréquents dans la vie réelle, en dépit des édits royaux[9], sont aussi très fréquents au théâtre. On se contente parfois d'en faire mention — un personnage adresse un cartel à un autre et la rencontre a lieu hors de la scène — mais souvent, avant 1650 du moins[10], le combat est représenté devant les spec-tateurs. *Agésilan de Colchos* s'ouvre sur un combat singulier entre Florisel et Brunéo. vite désarmé et blessé par son adver-saire (I, 1) et comporte un second affrontement au troisième acte, où le héros, sous un travesti féminin terrasse un certain Anaxarte qui osait soutenir que Diane avait « de moindres

9. Pierre DE L'ESTOILE écrivait en 1607 que « depuis l'avènement du roi, on faisait compte de 4 000 gentilshommes tués en ces misérables duels en France ». Les édits de Richelieu pour interdire les combats singuliers en avaient diminué le nombre sans les supprimer. « On voit tant de gens entre eux si cruels qu'on ne parle plus que de duels », écrit encore LORET, en 1651, et Guy PATIN, en 1654, déplore la « manie » des nobles « de se battre si cruellement pour si peu ». Cités par M. MAGENDIE, *op. cit.,* I, p. 68 et II, p. 509.

10. BENNETON (*Social significance of the duel in the XVIIth century French drama,* p. 142) signale 18 pièces où un duel est représenté sur la scène. Elles sont toutes antérieures à 1650.

appas » que sa maîtresse. Deux duels encore dans *Le Trompeur puni,* où Arsidor rencontre successivement Cléonte, qu'il blesse mortellement puis un second rival, loyal celui-là : il le terrasse et, généreusement, lui rend son épée, mais Alcandre refuse de poursuivre le combat :

> « Je demande la vie, et vous cède la belle. » (V, 5.)

Si, dans le *Cid,* Corneille ne nous fait pas assister au combat entre Rodrigue et Dom Sanche pour ménager un effet de surprise, il nous a montré d'abord Dom Diègue aisément désarmé par le comte (I, 3) :

> D. DIÈGUE *(mettant la main à l'épée).*
> « — Achève, prends ma ʋie après un tel affront,
> Le premier dont ma race ait vu rougir son front.
> LE COMTE. — Et que penses-tu faire avec tant de faiblesse ,
> D. DIÈGUE. — O Dieu ! ma force usée en ce besoin me laisse !
> LE COMTE. — Ton épée est à moi... »,

puis Rodrigue défiant l'offenseur de son père et sortant avec lui « en combattant » (III, 2)[11]. Duel encore dans *Madonte,* où Damon est pressé d'en découdre avec celui qu'il croit son rival (II, 6) :

> « — Ha ! te voilà, voleur ! sus, sus, pense à mourir...
> En chemise, en chemise, afin de voir sans peine
> Le sang que mon épée aura pris de ta veine. »

On n'en finirait pas de citer les scènes de duel dans la tragi-comédie : *La Sœur valeureuse* n'en compte pas moins de cinq !

Deux formes de duel reviennent assez souvent et sont particulièrement spectaculaires : le duel judiciaire et le combat entre deux champions désignés par deux armées ennemies. Leur enjeu est capital : il s'agit souvent de sauver la vie d'une femme injustement accusée. Aussi le spectateur suit-il avec anxiété le déroulement de la rencontre. De plus, la solennité de ce genre

---

11. Ici encore, le duel n'est pas représenté intégralement pour tenir les acteurs — et le public — dans l'incertitude du résultat.

de combats, qui se déroulent en général devant un assez grand nombre d'acteurs, avec tout un cérémonial, discours, sonneries de trompettes[12], etc., frappe encore l'imagination du public. *Madonte* comporte un duel judiciaire aux péripéties dramatiques. La perfide Lériane a, comme on sait, accusé l'héroïne de relations coupables avec Thersandre, et Madonte a été condamnée à mort. Mais Thersandre s'est déclaré prêt à soutenir son innocence dans un combat contre les deux neveux de Mériane. Le combat a lieu (IV, 6) devant le roi et la cour, avec le cérémonial de rigueur. Thersandre, seul contre deux, recule et va succomber, lorsqu'un inconnu, « le chevalier au tigre » se porte à son secours et attaque ses deux adversaires, d'abord méprisants :

> « LE CHEVALIER. — Ce guerrier indompté qui fit tant de
> [conquêtes
> Mit à bas sans second un monstre de cent têtes,
> Et vous n'êtes que deux.
> LE NEVEU.   — Hercule était un dieu.
> LE CHEVALIER. — Vous m'éprouverez tel sans partir de ce
> lieu.»   [lieu.»

Le combat reprend de plus belle et, bien entendu, l'inconnu — Damon, l'amant de l'héroïne — a le dessus et tue ses deux adversaires ; mais le spectateur a eu très peur.

Souvent le duel judiciaire est d'autant plus pathétique que le public sait que l'un des combattants est une femme, qui dissimule son sexe sous un habit guerrier. C'est ce qui arrive dans *L'Infidèle Confidente, Lisandre et Caliste, Virginie, Cariste, Le Prince déguisé*. Dans cette dernière pièce, un duel judiciaire a été décidé pour établir lequel des deux amants, Policandre — en réalité, le prince Cléarque, dont on ignore l'identité — et la princesse Argénie, a séduit l'autre. Le spectacle est grandiose : la reine de Sicile Rosemonde arrive, suivie du chancelier, du grand sacrificateur, de prêtres et du « chœur des courtisans » ; le peuple est là, avec les « juges de camp » et un « chœur de

---

12. MAHELOT réclame souvent des trompettes pour ses mises en scène, par exemple, pour *Madonte* (p. 70), ou *Lisandre et Caliste* (p. 68).

trompettes » (V, 6). La reine harangue d'abord solennellement son peuple, se plaignant de la fortune « inexorable » qui l'oblige à abandonner sa fille à la sévérité des lois. Puis, paraît un des champions, visière baissée — c'est Argénie — à qui le chancelier adresse la formule rituelle :

> « ANTHÉNOR. — Pour qui combattez-vous ? Faites-le nous
> [entendre.
> ARGÉNIE. — Pour le plus innocent.
> ANTHÉNOR.   — Pour qui ?
> ARGÉNIE.   — Pour Policandre. »

A ce moment, « un autre cavalier se présente à la lice » : c'est le prince, également incognito, qui se fait le champion de sa maîtresse :

> « ANTHÉNOR. — Dites ce qui vous mène en cette compagnie.
> ARGÉNIE. — Je suis pour Policandre.
> CLÉARQUE.   — Et moi pour Argénie. »

Les deux combattants, dont chacun ignore l'identité de son adversaire, se menacent, mécontents qu'un inconnu prenne leur défense ; puis tous deux « mettent l'épée à la main et se battent ». L'adversaire de Cléarque tombe, et son vainqueur, lui ôtant son casque, reconnaît avec stupéfaction Argénie :

> « — Juste Ciel ! C'est l'infante. Hélas ! barbare infâme,
> Elle vient te sauver et tu lui ravis l'âme !
> Elle combat pour toi ; tu la prives du jour ! »

Alors, soulevant son heaume, il réclame pour lui le châtiment :

> « — Puisque je suis vainqueur, que Policandre meure !
> Le voici : commandez que ce soit devant vous ;
> Ce bienheureux trépas lui semblera plus doux. »

Une dispute s'élève alors entre les deux amants, qui veulent chacun mourir pour l'autre, jusqu'à ce que la reine, émue, pardonne et unisse Cléarque et Argénie.

On voit, par ces citations, l'importance de la mise en scène

et du spectacle dans ce genre de scènes : la présence sur le
théâtre d'un grand nombre d'acteurs, la solennité de la
harangue de la reine, l'arrivée des deux champions et le rituel
des formules, le combat lui-même — d'autant plus piquant
qu'on sait que l'un des champions est une jeune fille et que
chacun des amants combat pour son adversaire —, la blessure
de l'héroïne et la surprise du vainqueur, lorsqu'il la reconnaît,
tous ces éléments, qui frappent les yeux et la sensibilité des
spectateurs, contribuent à renforcer une situation déjà dramatique en elle-même. Il en va de même des combats singuliers,
où deux chefs d'armée se battent devant leurs troupes : ainsi
dans la *Dorinde* d'Auvray, où, sous les murailles de Marcilly,
en présence des deux armées, le prince Sigismond se bat contre
Polémas, le chef des assiégeants, et le tue, ce qui prépare le
dénouement heureux.

Les ennemis et les rivaux n'ont pas toujours le courage
d'affronter leur adversaire en face. Il arrive par exemple qu'un
jaloux tende une embuscade à celui qu'une belle lui préfère ; et
les auteurs de tragi-comédies nous font souvent assister au
guet-apens. Dans *Tyr et Sidon,* un vieux mari a chargé deux
soldats d'aventure, La Ruine et La Débauche, d'assassiner
Léonte, qui a séduit sa femme. Les deux hommes attendent le
prince dans la rue et se précipitent sur lui, lorsqu'il paraît,
sortant de chez Philoline (I, V, 4) :

> LA RUINE. « — C'est lui-même. Avançons. Que chacun
> [s'évertue.
> LÉONTE. — Quelles gens sont-ce là ? Qui va là ?
> LA RUINE.   — Charge, tue.
> LÉONTE. — O dieux ! Un traître coup m'a traversé le flanc.
>   Çà, çà, pendards, à moi ! que je vende mon sang !
>   Canailles, vous fuyez.
> LA RUINE.   — Ha ! las ! je perds la vie.
> LA DÉBAUCHE. — Monsieur, pardonnez-moi.
> LÉONTE.   — Je n'en ai nulle envie.
> LA DÉBAUCHE. — A l'aide, je suis mort.
> LÉONTE.   — En voilà deux à bas... »

Mais le prince est mortellement blessé et ce sont donc trois
morts qui « ensanglantent » la scène.

L'Heureux Naufrage, de Rotrou, nous fait assister aussi à un guet-apens : trois assassins, apostés par Dorismond, attaquent Cléandre, qui « les tue l'un après l'autre » (IV, 8) ; les détonations des pistolets des agresseurs ajoutent encore à l'effet. Particulièrement frappante est la scène de *Clitandre* (I, 7) où, tandis que Dorise se dipose à tuer sa rivale Caliste qu'elle a attirée dans un bois, l'amant de cette dernière, Rosidor, « paraît tout en sang, poursuivi par trois assassins masqués ». Il tue d'abord l'un de ses agresseurs, mais, en retirant son épée du corps, il la brise contre un arbre.

> « — Meurs, brigand. Ah ! Malheur ! cette branche fatale
> A rompu mon épée. »

A ce moment, il voit l'épée que tient Dorise et s'en saisit pour se défendre contre ses deux adversaires, dont il tue l'un et met l'autre en fuite. Il aperçoit alors Caliste évanouie, la croit morte, et défaille à son tour. Belle et dramatique séquence, tout en mouvement, où se succèdent des péripéties spectaculaires.

Parfois même, comme dans Shakespeare, ce sont de véritables batailles qu'on essaie de représenter sur la scène. Auvray, non content de nous montrer un duel judiciaire, nous fait assister, dans *Madonte,* à une échauffourée sanglante (V, 3). *Dorinde,* outre le combat singulier cité plus haut, nous montre l'assaut infructueux que lance Polémas contre la ville de Marcilly. *La Sœur valeureuse,* de Mareschal, déjà riche en duels et en assassinats — on y voit entre autres l'héroïne, aidée de son page, tuer quatre assaillants — nous fait assister à une sortie, au son des trompettes, des Bithyniens, assiégés par les troupes de Dorame. Citons encore cette scène spectaculaire de *L'Amant libéral* (V, 4), où nous voyons deux bachas, chacun à la tête d'une troupe de janissaires, tenter d'arracher au cadi Ibrahim la belle Léonise, dont ils sont tous deux épris ; ils attaquent le cadi, qui essaie d'arrêter ses agresseurs et invoque en vain Mahomet :

> « ... vous qui les suivez, âmes trop mercenaires,

Voleurs et non soldats, Arabes sanguinaires,
Venez-vous égorger pour eux votre cadi ? (...)
Le prophète là-haut, qui voit la trahison,
Vengera son ministre, opprimé sans raison. »

Hali et Hazan n'ont cure de ses menaces et ils tentent de
s'emparer de la belle captive, qu'ils se disputent l'un l'autre :

« HAZAN. — Souviens-toi que partout ma valeur m'accom-
                                                    [pagne...
HALI. — Ha ! c'est trop de discours, c'est trop faire le brave.
Voyons à qui le sort destine cette esclave. »

Le combat s'engage alors entre les deux troupes et Léandre,
assisté de Mahamut, profite de la dissension des chefs pour les
attaquer à son tour et leur arracher Léonise. Nous n'assistons
ici, sans doute, qu'au début du combat : les difficultés matérielles d'un plateau trop étroit aussi bien que le désir de créer
une incertitude dramatique ont sans doute empêché Scudéry de
le représenter intégralement sur la scène. On voit néanmoins,
par les exemples cités, que les dramaturges baroques, pour
répondre au goût du public, n'hésitaient pas à mettre sur le
théâtre de véritables batailles.

Pas plus qu'ils n'hésitaient à montrer aux spectateurs du
sang et des cadavres[13]. Les tragédies baroques étaient volontiers sanglantes : J. Scherer cite[14] quelques épisodes du *More
Cruel*, d'*Alcméon*, de *Thyeste* ou de *Saül*, particulièrement
horribles. La tragi-comédie ne répugne pas non plus à donner
de pareils spectacles. Les duels et les guet-apens se terminent
presque toujours dans le sang. Damon sort vainqueur de son
duel avec Thersandre, mais il est lui-même blessé et, décidé
à mourir, il arrache le mouchoir qu'il a mis sur sa plaie en
souhaitant

---

13. « L'horreur morale ne suffit pas au peuple, écrit R. LEBÈGUE ; il lui
faut l'horreur matérielle, visible. » Il aime « les combats et les meurtres sur
scène et les exhibitions de cadavres, de têtes coupées, de cœurs et autres débris
macabres » (*Etudes sur le théâtre français*, Le théâtre baroque en France,
p. 354).
14. *Op. cit.*, p. 415-416.

« que ces prés voisins, noyés dedans (son) sang,
Fassent pour (l')abîmer un assez large étang » (II, 6).

Dans *Agésilan,* Brunéo, blessé par Florisel, veut répandre
son sang sur le portrait de Diane, « comme sur un autel » (I, 1).
Un personnage de la *Sœur valeureuse,* Dorame, blessé
par Olympe, « montre ses plaies toutes fraîches » (II, 4). Et
P. Corneille, non content d'étaler, dans *Clitandre,* les blessures
de Rosidor (I, 7) :

« — Blessures, dépêchez d'élargir vos canaux,
Par où mon sang emporte et ma vie et mes maux »,

nous montre Dorise crevant un œil à Pymante, qui pleure des
larmes de sang (IV, 2). N'oublions pas non plus Calirie, la
« nouvelle Célidée », qui se défigure en scène avec un diamant
et expose son visage meurtri aux spectateurs (V, 3-4).
    Nombreuses aussi sont les morts sanglantes dans ces tragi-
comédies qui ne finissent bien, généralement, que pour les
protagonistes. Dans *Tyr et Sidon,* le fils et une des filles du roi
Pharnabaze ont une fin tragique : on assiste à l'assassinat du
premier et, si le suicide de Cassandre est seulement raconté, on
voit des pêcheurs dépouiller son cadavre qu'ils ont tiré de l'eau.
Dans *Madonte,* après ses neveux, tués au combat, c'est Lériane
qu'on va brûler vive, tandis que Thersandre périra au dénouement, en secourant Damon, dans un engagement où plusieurs
personnages resteront sur le carreau. L'héroïne de *La Sœur
valeureuse* tue Lycanthe et trois autres agresseurs, tandis que
son page tombe à ses côtés (III, 8). *Le Cid* commence par un
meurtre. Rotrou, Du Ryer, Scudéry, dans leurs premières
tragi-comédies, nous font assister à des duels ou à des combats
où il y a mort d'homme. Et, dans *L'Ephésienne,* le dialogue du
garde et de la veuve éplorée se déroulait devant le cadavre d'un
pendu !
    Lorsque les bienséances s'imposeront, de pareilles scènes se
feront plus rares — après 1635, Scudéry et Rotrou n'écriront
plus de tragi-comédies sanglantes — ; il y aura encore des
meurtres — d'un usurpateur (*Téléphonte, Trasibule*), d'intri-

gants criminels *(Amalasonte)* — mais duels et guet-apens seront moins fréquents désormais, les assassinats auront lieu en coulisse et surtout le récit se substituera au spectacle pour émouvoir le public.

A côté des duels meurtriers, des assassinats, des batailles sanglantes, les dramaturges ont d'autres moyens de frapper la sensibilité des spectateurs. On le fait s'attendrir, trembler pour le héros ou l'héroïne — c'est la « pitié » ou la « terreur » que recommandait Aristote — en les montrant dans une situation pénible ou particulièrement critique, en prison, par exemple, sur le point d'être suppliciés ou immolés aux dieux, ou encore saisis d'un accès de démence ou de désespoir, qui risque de les pousser au suicide.

La Mesnardière constatait, dans sa *Poétique* (chap. XI, p. 413), que « le spectacle des prisons est assez ordinaire parmi les actions tragiques » et il expliquait cette prédilection par la facilité qu'offre un tel spectacle pour « émouvoir la compassion pour les personnes captives » : « la noirceur et l'obscurité éclairées d'un rayon de feu et d'une lumière sombre rendront la prison effroyable ». Pourtant, à en juger d'après les moyens de la mise en scène de l'époque, l'éclairage en particulier, et à cause même de cette mise en scène[15], le spectacle d'un personnage qu'on voyait mal derrière les barreaux d'un cachot obscur, ne devait pas faire grande impression sur le public. Ces inconvénients n'ont pas empêché les dramaturges de montrer souvent leur héros dans une prison. J. Scherer donne des exemples de scènes de prison dans quelques tragédies de Hardy (*Pandoste*), de Rotrou (*Saint-Genest*), de Tristan (*Mariane*) ou de Corneille (*Médée*). On en trouve aussi, bien entendu, dans les tragi-comédies. Dans *Tyr et Sidon,* Belcar, arrêté sur l'ordre de Pharnabaze, se plaint d'avoir changé son « auguste palais »

« contre ce noir cachot, comblé de vilenie,

---

15. CORNEILLE remarquait justement, dans l'*Examen* de *Médée,* que « ces grilles qui éloignent l'acteur du spectateur et lui cachent toujours plus de la moitié de sa personne, ne manquent jamais de rendre son action fort languissante ».

Où les rats fourmillants (lui) tiennent compagnie »,

avant d'évoquer les moments heureux du passé, où Méliane s'empressait à son chevet. *Ligdamon et Lidias, Clitophon* comportent des scènes de prison : le héros de la première de ces pièces dit son épouvante, dans le cachot où on l'a jeté, avant de le livrer aux lions (III, 4) ; et Clitophon, emprisonné lui aussi pour le meurtre prétendu de Lucippe, se lamente dans sa geôle en strophes pathétiques. L'acte III de *La Belle Alphrède* s'ouvre sur le spectacle de Rodolphe et de Cléandre « les fers aux mains », s'affligeant dans la prison où les pirates arabes les ont jetés. Et on peut rapprocher de ces épisodes la belle scène de *L'Illusion comique* (IV, 7) dans laquelle Clindor, incarcéré après le meurtre d'Adraste, dit son angoisse devant le supplice qui l'attend et qu'il évoque avec une précision hallucinée.

La représentation d'un condamné sur le lieu même du supplice qu'on va lui infliger, est aussi d'un grand effet sur le public et les dramaturges ne se sont pas privés de ce moyen de provoquer l'effroi et la pitié. Au dernier acte de *Tyr et Sidon*, nous voyons ainsi Méliane, que son père a voulu punir du meurtre de sa sœur, monter sur l'échafaud ; un soldat commente la scène (V, 2) :

« — Ah ! la voici qui vient. Voyez comme elle monte
Franchement ces degrés et d'une allure prompte. »

Du haut de l'échafaud, Méliane adresse alors au peuple une harangue pathétique où elle proclame son innocence, avant de demander au bourreau de lui donner une prompte mort, ce qui arrache des larmes à celui-ci :

« MÉLIANE. — Pauvre homme, pleures-tu ? te déplaît-il à toi
De suivre mon désir et le plaisir du roi ? »

L'émotion du spectateur grandit encore, lorsque paraît Belcar, qui se dit seul coupable et veut mourir « avec elle et pour elle ». Heureusement, un capitaine arrive à ce moment pour annoncer que le roi leur fait grâce.

Dans *L'Heureux Naufrage*, de Rotrou, c'est un homme cette fois, qu'on voit, «lié sur l'échafaud» où, sur l'ordre de la reine, on doit l'exécuter pour un meurtre[16]. La situation, ici encore, est rendue plus pathétique par l'arrivée de Céphalie, amoureuse du héros, qui vient supplier les bourreaux d'attendre que la reine revienne sur sa décision, s'accroche à l'échafaud, demande qu'on la tue elle aussi, et se débat contre les archers, qui tentent de la séparer de Cléandre :

> «— Non, non, tous vos efforts
> Prétendent vainement de séparer nos corps,
> Si cette infâme main
>   (elle montre le bourreau)
>   n'en sépare nos têtes.
> Cruel, porte les coups ; les voilà toutes prêtes. »

La venue d'un page qui apporte un billet de la reine, redonne quelque espoir, mais Cléandre refuse la grâce qu'on lui offre et demande la mort du bourreau :

> « — Accomplis le dessein que ta tâche t'ordonne. »

Heureusement, ici encore, Salmacis en personne survient à temps pour empêcher l'exécution du condamné et, touchée par sa fidélité à toute épreuve, l'unir à sa maîtresse. Tout finit bien pour Cléandre comme pour Méliane, mais le spectateur a tremblé pour eux, et les effets de mise en scène — l'échafaud, le bourreau avec sa hache, les archers, le peuple massé sur la place, les discours pathétiques des amants — n'ont pas peu contribué à accroître l'intensité dramatique de ces épisodes[17].

---

16. Il a tué le rival qui lui avait tendu un guet-apens ; mais la cause véritable de son supplice est la jalousie de la reine Salmacis, furieuse qu'il ait repoussé son amour.

17. *Palène,* de BOISROBERT, nous montre aussi une exécution interrompue au dernier moment. L'héroïne, condamnée à mort pour avoir saboté le char d'un de ses prétendants — qui a en réalité survécu à l'accident — est traînée à l'autel, «ceinte de bandelettes de victime et couronnée» ; on voit derrière elle le sacrificateur, «avec un couteau à la main», et «il lève le bras» pour la frapper, quand surgissent Clyte et Damon, l'épée à la main, pour sauver la malheureuse (V, 1-2).

Les dramaturges recherchent des effets du même genre dans les scènes où une victime innocente va être immolée à quelque divinité. Après *Théagène et Cariclée*, de Hardy, dont les héros sont près d'être sacrifiés aux dieux par le roi d'Ethiopie, Du Ryer nous offre une scène de ce genre dans *Clitophon*. Grâce à une attaque des troupes de Charmide, le héros a pu échapper aux pirates égyptiens qui l'avaient capturé ; mais c'est pour apprendre que sa maîtresse va être immolée aux dieux, sur une montagne[18], à la vue des deux armées. Dans ce décor grandiose, le malheureux Clitophon voit le sacrificateur enfoncer le couteau, le sang couler, et, empêché par ses compagnons d'intervenir, il s'évanouit. Le spectateur, impressionné par cette mise en scène, bouleversé par la mort de l'héroïne, ému par le désespoir de son amant, apprend seulement à l'acte suivant que le sacrificateur a trompé les pirates : c'est un sac de sang, placé sur la poitrine de la victime, que Ménélas a transpercé, et Lucippe, bien vivante, retrouve le héros pour d'autres aventures !

Rotrou utilise aussi toutes les ressources de la mise en scène pour émouvoir les spectateurs de son *Iphigénie*. A l'acte V de sa tragi-comédie, l'héroïne a fait ses adieux à Clytemnestre, désolée, et à son père, en larmes ; elle blâme Achille qui, dans son désespoir, a essayé en vain d'empêcher son supplice, et elle marche fièrement à la mort. Les soldats sont là ; on sonne de la trompette ; et Calchas invoque la divinité :

> « — Chaste fille du dieu qui lance le tonnerre, (...)
> Diane, enfin, reçois l'offrande que tu veux,
> Et pour prix de son sang fais succéder nos vœux. »

Il saisit alors le couteau et va en percer la malheureuse, lorsque, « au moment où il veut porter le coup, il se fait un grand coup

---

18. MAHELOT précise les éléments du décor : « Il faut une montagne élevée ; sur ladite montagne, un tombeau, un pilier, un carreau et un autel bocager de verdure et rocher, où l'on puisse monter sur ledit rocher devant le peuple... Il faut du sang, des éponges, une petite peau pour faire la feinte du coup sacrificateur. »

de tonnerre. Iphigénie est enlevée au ciel », à la stupéfaction
des assistants :

> « ... ô rare aventure ! ô miracle inoui !
> Si d'une illusion mon cœur n'est ébloui,
> Sans recevoir le coup et sans laisser la vie,
> Cette chaste victime à ces lieux est ravie. »

A ce moment, « le ciel s'ouvre, Diane apparaît dans un nuage ;
tous les personnages tombent à genoux », et la déesse leur
explique que, touchée par la piété d'Iphigénie, elle la veut

> « pour prêtresse et non pas pour victime »,

et qu'elle l'a transportée en Tauride. C'est une intervention
surnaturelle, cette fois, qui, au moment fatidique, a empêché
l'issue tragique. Le merveilleux — une assomption, une
épiphanie — a relayé le spectacle sanglant.

Le recours à la magie ou au surnaturel est en effet un autre
moyen de frapper l'imagination du public. Toutefois, les
auteurs de tragi-comédies n'emploient pas autant qu'on l'a dit
ces procédés. Alors que les « magiciens » sont légion dans les
pastorales, avec leurs miroirs enchantés et leur pouvoir d'évoquer les démons ou de métamorphoser les personnages, alors
que les ballets et surtout les pièces à machines — *Ulysse dans
l'Ile de Circé* (1648), *Andromède* (1650) ou *La Toison d'Or*
(1660) — nous montrent volontiers des dieux évoluant sur des
chars aériens ou sortant des flots, des monstres, des palais
enchantés surgissant ou s'effondrant brusquement, etc., le
merveilleux est relativement rare dans nos tragi-comédies.
Citons telle scène de la *Bélinde*, de Rampale, où un vieux
magicien, épris de Mélite qu'il a trouvée endormie dans les
bras d'Arimand, conjure un démon qui prend l'apparence
de la jeune fille et attire ainsi à l'écart l'amant abusé (I, 2), ou
cet épisode d'*Agarite*, de Durval, où la statue de l'héroïne
s'anime soudain devant les yeux du roi, émerveillé, la princesse
Amélise, qui aime le roi, s'étant substituée à la statue.
Le merveilleux est moins spectaculaire dans deux pièces où

Rotrou se sert de deux « anneaux magiques », celui de *La Bague de l'Oubli,* qui ôte la raison et la mémoire à celui qui le porte, ou celui de *L'Innocente Infidélité,* dont le « charme » oblige à aimer la femme qui l'a à son doigt, véritables « trucs » de théâtre qui amènent des revirements inattendus : le roi Alphonse oublie sa maîtresse et ses dettes, lorsqu'il met à son doigt « la bague de l'oubli », et Félismond, en dépit qu'il en ait, délaisse sa jeune épouse et revient à Hermante, quand celle-ci porte l'anneau enchanté. Les talents de magicien dont se flatte Cléarque, dans *Le Prince déguisé,* pour se faire bien voir du jardinier, ne sont pas non plus l'occasion de scènes spectaculaires. Le seul Corneille, qui utilisera avec l'habileté que l'on sait les talents d'un magicien dans *L'Illusion comique,* réussit à effrayer le spectateur, sans apparitions et sans magie, dans *Clitandre,* en déchaînant un orage terrible, où les éléments semblent se mettre à l'unisson de la fureur sanguinaire de Pymante, lancé à la poursuite de Dorise (IV, 2) :

> « — Mes menaces déjà font trembler tout le monde ;
> Le vent fuit d'épouvante, et le tonnerre en gronde...
> Tout est de mon parti ; le ciel même n'envoie
> Tant d'éclairs redoublés qu'afin que je la voie ;
> Quelque part où la peur porte ses pas errants,
> Ils sont entrecoupés de mille gros torrents.
> O suprême faveur ! ce grand éclat de foudre,
> Décoché sur son chef, le vient de mettre en poudre. »

La passion du personnage prend ici des proportions cosmiques, et le pouvoir des mots, complété par des effets de bruitage et de lumière, nous plonge dans le fantastique.

Il faudrait enfin citer les épisodes « surnaturels » — emploi assez exceptionnel au théâtre du merveilleux chrétien, autorisé ici par la tradition —, que la légende de Dom Juan a inspirés à plusieurs dramaturges. Dorimond et Villiers, qui ont écrit chacun un *Festin de Pierre,* Molière dans son *Dom Juan,* Rosimond, dans son *Nouveau Festin de Pierre ou l'Athée foudroyé,* ont tous représenté cette statue du Commandeur qui s'anime et répond à l'invitation sarcastique du héros, et la mort terrible de l'impie, foudroyé et englouti dans les flammes de l'enfer. L'élément spectaculaire est particulièrement développé dans la tragi-comédie de Rosimond, qui ajoute de nouveaux épisodes — un temple auquel le héros met le feu pour favoriser un rapt ; ses deux amis tués par le fantôme qu'ils ont insulté —, et qui soigne les effets de mise en scène : le fantôme du gouverneur est éclairé par des torches et, au dénouement, « on entend un coup de tonnerre qui fait abîmer Dom Juan, et le théâtre paraît en feu ». Mais ces pièces où la bouffonnerie se mêle sans cesse au romanesque, et qui tiennent aussi bien de *l'auto sacramental* que de la pièce à machines sont-elles vraiment des tragi-comédies ?

Point n'est besoin, d'ailleurs, de recourir au surnaturel pour satisfaire le goût du spectacle du public. J. Scherer insiste à juste titre sur l'importance de la notion de « pompe » dans l'esthétique du XVIIᵉ siècle, pompe qu'on obtient au théâtre, selon d'Aubignac, « par le nombre et par la majesté des acteurs, ou par un spectacle magnifique[19] ». Avant que les règles classiques, imposant une simplification et une concentration de l'intrigue, ne limitent en même temps le nombre des personnages, les auteurs de tragi-comédies ne dédaignent pas les effets de la foule : outre les duels judiciaires et les combats singuliers qui, nous l'avons vu, se déroulent devant le peuple, selon un cérémonial réglé, on trouve dans nos tragi-comédies des scènes auxquelles le rang des acteurs, la solennité de leurs actes, la présence d'un grand nombre d'assistants confèrent une grandeur impressionnante : ainsi les cérémonies, les scènes de jugement, ou encore celles où un souverain rend un arbitrage.

Un épisode de *L'Astrée* (III, 8) a suggéré à Mairet le dénouement très spectaculaire de *Chryséide et Arimand* (V, 3) : sacrifice solennel du roi Gondebaud devant le peuple rassemblé ; coup de théâtre lorsque Chryséide se réfugie auprès de l'autel et menace de se tuer, si on veut l'en arracher ; interven-

19. *Pratique du Théâtre*, livre III, chap. V, p. 233, cité par Scherer, *op. cit.*, p. 161.

tions successives de son amant et du serviteur qui, se disant responsables de l'évasion de la jeune fille, réclament pour eux la mort ; hésitation et, finalement, décision du roi qui, surmontant sa passion, accorde son pardon — il y a là une suite d'épisodes dramatiques d'un grand effet au théâtre. *Le Prince déguisé*, entre autres scènes spectaculaires, comporte aussi une cérémonie imposante au premier acte. C'est devant une assistance considérable — la didascalie mentionne, outre les protagonistes, le chancelier, le chef des gardes et ses hommes, le sacrificateur, des prêtres, le « chœur des courtisans », le « chœur du peuple » — que le sacrificateur invoque « l'ombre illustre » du défunt roi et que la reine Rosemonde prononce son serment redoutable :

> « — Je fais vœu solennel que l'infante Argénie
> Sous le joug de l'hymen ne sera point unie
> Qu'avec le seul amant qui me présentera
> La tête de Cléarque... » (I, 5).

On conçoit que « le superbe appareil de la scène », comme le dit Scudéry lui-même (Au lecteur), ait beaucoup contribué au succès de la pièce. La présence des janissaires rend aussi très spectaculaire la cérémonie de la passation des pouvoirs, à laquelle Scudéry nous fait assister dans *L'Amant libéral* (II, 1.2)

C'est encore le cérémonial et la figuration importante qui donnent cette « pompe » majestueuse à certaines scènes de jugement et à celles où un prince signifie son verdict. Les jugements que rend un roi, à l'issue d'un combat judiciaire ou lorsque l'événement a montré qui étaient le coupable et l'innocent — voyez *Tyr et Sidon, Madonte, Le Prince déguisé, Palène, Clitandre* —, les conseils où le monarque débat avec ses ministres de graves questions ou rend un arbitrage — voyez *Cléomédon* ou *Le Cid* — se déroulent généralement dans un cadre solennel — lieu où s'est passé le combat, place où est dressé l'échafaud, salle du trône —, en présence du peuple ou des dignitaires du royaume, ce qui ajoute encore à la gravité des décisions qui sont prises. Le dilemme où se débat la reine

Rosemonde, à la fin du *Prince déguisé*, dilemme qui décidera de la vie et du bonheur des amants, est d'autant plus angoissant qu'il se déroule devant tout un peuple, à l'endroit même où Cléandre et Argénie viennent de se battre (V, 7). Les plaidoyers pathétiques de Chimène et de Dom Diègue ont lieu dans la salle du trône, où siège le roi de Castille, entouré de ses conseillers (II, 7). Ce cadre grandiose, cette assistance nombreuse disparaîtront après 1640, et les tragi-comédies de palais se dérouleront dans un huis-clos moins spectaculaire. Mais, P. Corneille, dans *Dom Sanche d'Aragon* (1650), n'hésitera pas à évoquer encore les fastes de la monarchie espagnole, en plaçant la querelle entre Dom Manrique et Carlos dans la salle du trône de Castille, en présence de trois reines et des Grands d'Espagne rassemblés (I, 3), dans une mise en scène qui dut combler Hugo.

Une autre façon de séduire le public par l'attrait du spectacle consiste à introduire au sein même de l'intrigue un divertissement destiné aux personnages et, en même temps, aux spectateurs. Ce peut être une simple chanson : dans *Cléagénor et Doristée*, le « page » Philémond chante, en s'accompagnant à la guitare, un couplet « en situation[20] » :

> « — Je plains, Cloris, le mal extrême
> A quoi ton amour te résoud ;
> Mais la loi qui fait que tout m'aime,
> Ne m'oblige pas d'aimer tout » (III, 2).

Agésilan, travesti, exprime aussi en chantant sa passion pour la belle Diane (*Agésilan de Colchos*, II, 2-3).

Ailleurs, le chant s'accompagne de musique et de danse, comme dans ces ballets qu'on représente, dans plusieurs tragi-comédies, à l'occasion d'un mariage. Rotrou intercale ainsi dans le cinquième acte de sa *Belle Alphrède*, au milieu des

---

20. Le page — en réalité l'héroïne travestie — est aimé de Théandre, qui a deviné son sexe, mais aussi de la femme et de la suivante de celui-ci, et elle ne peut évidemment répondre à l'amour de ces dernières.

scènes dramatiques qui précèdent l'heureux dénouement, un ballet où l'on voit « deux Espagnols qui font les braves et qui enfin sont vaincus par deux Français ». Sallebray suit cet exemple en terminant sa *Belle Egyptienne* par une danse des bohémiens en l'honneur de Précieuse et de Jean de Carcame. Plus spectaculaire et plus dramatique en même temps est le « ballet des quatre vents » donné, dans l'*Agarite* de Durval, pour fêter le mariage de Lizène et d'Agarite, qu'on va célébrer. Tandis que l'amant de l'héroïne attend, dans l'obscurité, le moment de l'enlever, le marié, son beau-père et les invités se disposent à assister au spectacle (III, 3) :

> LIZÈNE.   « — Je commence d'entendre
> Le son des instruments.
>   MÉDOR.   — Prenons place, mon gendre.
> CORINTIE. — Les voici : j'entrevois la clarté d'un flambeau.
> LIZÈNE. — Chacun dit que la cour n'a rien vu de si beau... »

Entrent alors les danseurs, qui symbolisent les vents, « d'habits différents et de plumes couverts ». Ils dansent, éclairés seulement par les lueurs des coups de pistolet qu'on tire, et qui

> « représentent l'éclair, la foudre et le tonnerre. »

Mais lorsqu'on rallume les flambeaux, on trouve le marié assassiné, coup de théâtre qui contraste tragiquement avec le divertissement qui vient de s'achever.

Plus exceptionnel — dans la tragi-comédie du moins[21] — est la représentation, à l'intérieur même de la pièce, d'une autre pièce, le « play within the play » du théâtre élisabéthain. « L'étrange monstre » qu'est *L'Illusion comique* nous présentait un spectacle de ce genre avec la représentation des amours tragiques de Clindor et de la princesse Rosine, à l'acte V,

---

21. On sait que plusieurs comédies utilisent le procédé, par exemple les deux *Comédies des Comédiens*, *Le Songe des Hommes éveillés*, *La Comédie sans Comédie*, *Le Pédant joué*, etc., et parfois même la tragédie, comme le *Saint-Genest* de ROTROU.

épisode particulièrement dramatique qui semblait continuer les aventures précédentes du héros. A cet exemple célèbre on ne peut guère joindre qu'une tragi-comédie de Gillet de la Tessonerie, *L'Art de régner,* où l'auteur, sous prétexte d'enseigner à un prince les vertus morales, représente plusieurs épisodes de l'histoire grecque ou romaine destinés à les illustrer et qu'il a voulus particulièrement spectaculaires[22].

Jeux érotiques, scènes de violence, prison et supplices, merveilleux, cérémonies pompeuses, ballets, autant d'occasions pour le dramaturge de « donner à voir » à un public avide de spectacle[24]. Toutefois, les difficultés matérielles de la représentation, la concentration plus grande de l'intrigue, le respect des bienséances, de plus en plus contraignant, restreignent assez tôt, dans la tragi-comédie, la part du spectaculaire[25]. Plus qu'aux effets visuels et sonores de la mise en scène, c'est au langage que les dramaturges vont demander de plus en plus de frapper l'imagination et la sensibilité des spectateurs.

Si Renaudot, dans sa *Gazette* du 6 janvier 1635, écrivait qu'« on a banni des théâtres tout ce qui pouvait souiller les oreilles les plus délicates », on rencontre souvent avant cette date des expressions assez crues dans la tragi-comédie. Les mots obscènes ne font pas peur à Hardy, et les scènes bouffonnes de *Tyr et Sidon* sont parfois fort grossières.

---

22. Dans son *Dessein du Poème,* il insiste sur la beauté du décor de ces épisodes, qui se passent « dans un jardin superbe », « dans un camp magnifique », « dans une place publique, la plus belle d'Egypte », ou « dans une ville où l'on voit un port de mer et des temples » !

24. Outre les exemples donnés, on pourrait citer d'autres scènes particulièrement spectaculaires : *L'Amour tyrannique,* II, 5, où, au pied des remparts de la ville qu'il assiège, Tyridate menace Tigrane, qui le voit du haut de la muraille, d'exécuter son père ; *Palène,* III, I, où, devant le roi, sa fille et « beaucoup d'autres », on voit « deux chariots, dont l'un est renversé et Driante empêché dessous, et Clyte est dessus l'autre, l'épée à la main » ; *Euxode,* III, 6, ou l'impératrice, pour se soustraire aux violences du roi vandale, met le feu au palais, etc.

25. Les amateurs de pièces « à grand spectacle » se consoleront avec les « pièces à machines » et, plus tard, avec l'opéra.

Les héros de Corneille et de Rotrou, s'ils n'emploient pas de termes grossiers ou obscènes, expriment sans ambages leurs désirs sensuels.

« — Ce lit doit être un jour le champ de mes délices »,

déclare Rosidor à Caliste, venue « effrontément » le « trouver jusques au lit » (*Clitandre*, V, 3). Dans *Céliane*, le travesti de l'héroïne, loin d'atténuer, pimente les déclarations empressées qu'elle fait à Nise :

« — Souffre que cent baisers pris sur ta belle bouche
M'assurent aujourd'hui que mon amour te touche » (V, 5).

Pamphile, voyant Nise « au lit », se demande ce qu'il doit choisir

« de la bouche, du sein, de la joue ou des yeux » (*ibid.*, II, 2) ;

et Lisidor tente de convaincre Cléonice de se laisser baiser les seins :

« — J'espère que ma lèvre, en ses douces atteintes
Sentira que ces rocs ne sont durs qu'à mes plaintes »
(*L'Hypocondriaque*, II, 2).

Toutefois, si les dramaturges ne reculent pas devant des situations scabreuses — héroïnes violées (*La Force du Sang*), filles enceintes (*La Belle Alphrède*), caresses échangées sur un lit (*Clitandre*), passions incestueuses (*La Sœur valeureuse, Virginie*), ils se montrent plus pudiques dans leur langage : les mots grossiers disparaissent dans la tragi-comédie en 1630[26], et, après 1640, il ne sera même plus question de « baisers » ou de « caresses »[27].

Le goût du public pour la violence, les duels et les combats,

---

26. Alors qu'ils subsisteront dans la comédie, en particulier dans les comédies burlesques de SCARRON ou de Th. CORNEILLE.
27. Voir les corrections que CORNEILLE fait au texte de ses premières pièces pour l'édition de 1660.

explique aussi la persistance d'un certain réalisme du langage, lorsqu'il s'agit d'exprimer les coups et les blessures infligés aux personnages.

> « — Sus, allez, je le veux, que la tête on lui ôte »,

s'écrie Pharnabaze, qui croit Méliane coupable du meurtre de sa sœur (*Tyr et Sidon*, II, IV, 6).

> « En chemise, en chemise, afin de voir sans peine
> Le sang que mon épée aura pris de ta veine »,

s'écrie Damon en provoquant Thersandre (*Madonte*, II, 6). Il est beaucoup question de « sang » dans *Clitandre* : Rosidor, blessé, a été retrouvé grâce

> « aux traces de (son) sang
> Qui durant le chemin (lui) dégouttait du flanc » (III, 1),

et Pymante, aveuglé par le sang de son œil crevé, s'écrie :

> « l'un (de ses yeux) s'offusque du sang qui de l'autre distille »
> (IV, 2).

Chimène a vu le sang de son père

> « couler à gros bouillons de son généreux flanc » (II, 8) ;

et la même expression revient dans *Palène*, de Boisrobert, où Doriante répond ainsi aux reproches de sa maîtresse (III, 3) :

> « — Ce coup accroît ma plaie, et sens qu'incessamment
> Le sang à gros bouillons en coule abondamment. »

Dans *Tyr et Sidon* (II, I, 5), Cassandre énumère les formes de suicide qu'elle choisirait, plutôt que de dénoncer Belcar :

> « ... j'ouvrirais mon flanc d'une lame pointue,
> Je m'étreindrais le col d'un funeste cordeau,
> Je sauterais d'un roc en un abîme d'eau. »

L'évocation va parfois jusqu'à l'horrible. Dans *Clitandre* encore, Dorise, qu'on a *vue* crever l'œil de Pymante avec un poinçon, *redit* ce qu'elle a fait :

> « pour loyer de sa lubricité,
> Son œil m'a répondu de ma pudicité,
> Et dedans son cristal mon aiguille enfoncée,
> Attirant ses deux mains, m'en a débarrassée. » (IV, 1.)

Et, dans *la Belle Alphrède*, Rodolphe, imagine sa maîtresse morte, errant

> « sur les rives d'Elyse,
> Veuve d'un corps pourri, sanglant, rongé des vers » (V, II).

Néanmoins les descriptions d'un réalisme outré et les expressions trop crues disparaîtront vers 1636, et, avec le spectacle, c'est surtout à la rhétorique que les dramaturges demanderont les moyens de frapper l'imagination et la sensibilité des spectateurs.

C'est en effet une véritable rhétorique passionnelle, si l'on peut dire, qu'utilisent les auteurs de tragi-comédies, rhétorique qui exprime les sentiments exaltés des personnages et cherche à faire partager au public leurs ardeurs, leurs violences, leurs douleurs. Ce langage qui ne craint ni l'outrance ni la surcharge pour mieux entraîner ou émouvoir l'auditoire, emploie avec prédilection un certain nombre de tropes et de figures de style — métaphores, hyperboles, antithèses —, tandis que reviennent constamment quelques formes d'écriture théâtrale — monologues douloureux et stances lyriques ; tirades passionnées où abondent apostrophes, interrogations oratoires, anaphores et répétitions amplificatrices ; duos pathétiques ou stichomyties haletantes. Bornons-nous à quelques exemples significatifs.

La poésie pétrarquiste avait lancé la mode des métaphores et des comparaisons hyperboliques en amour. On les retrouve ici, à foison, pour désigner la femme aimée ou pour décrire ses beautés.

« — C'est mon soleil
En habit de bergère»,

s'écrie Damon, en retrouvant sa maîtresse au dénouement de *Madonte* (V, 3), et, tout enflammé d'amour après avoir touché «l'aimable fraîcheur des neiges de son sein», il renchérit encore :

« — Des neiges ! qu'ai-je dit ? elles fondraient de honte,
Ayant vu qu'en blancheur ta gorge les surmonte. »

La comparaison de la femme aimée avec le soleil revient constamment dans la bouche des personnages de Rotrou. L'insensé Cloridan, cherchant aux enfers sa chère Perside, prie Cléonice de lui trouver son «beau soleil» *(L'Hypocondriaque*, V, I) ; Cléagénor, séparé de Doristée, s'afflige en ces termes :

« — Vous avez su comment cet astre précieux,
Après s'être montré, disparut à mes yeux» (II, 3) ;

prêt à tout risquer pour conquérir Laure, Octave s'écrie :

« — Ce soleil, comme l'autre, est digne d'un Icare»
(*Laure persécutée,* III, 4),

et Pamphile, qui a blessé Nise qu'il n'avait pas reconnue sous son travesti, se lamente en ces termes (*Céliane* I, 2) :

« — Cher soleil que j'adore,
Tu ne peux être éteint, puisque je brûle encore. »

Quant aux métaphores exprimant le mal d'amour — feu qui consume, trait qui blesse, lien qui captive —, les amants de nos tragi-comédies les répètent à l'envie. Lisidor, parlant des yeux de Cléonice, déclare que :

«ces mêmes traits qui blessent tant de cœurs
(le) forcent au dessein d'aimer ces beaux vainqueurs»
(*L'Hypocondriaque,* II, 2).

Les « yeux doux et meurtriers» de Méliane ont «allumé un

brasier » dans le sein de Belcar (*Tyr et Sidon*, I, II, 4) ; Cléomédon dit joliment à Célanire (II, 2) :

> « — Je brûle sans espoir du beau feu qui m'éclaire. »

Léandre, « l'amant libéral », est « consumé », lui aussi, « du
feu le plus pur » (III, 5), et il ne veut pas « briser ses fers, ni
rompre sa prison » ; pas plus que Pamphile, qui « baise ses
fers » (*Céliane*, II, 3) ou que Cloridan, qui s'écrie (*L'Hypocondriaque*, I, 1) :

> « — Que le servage est doux sous des chaînes si belles ! »

Belle accumulation de métaphores encore au début de *La Belle
Alphrède*, où l'héroïne décrit ainsi l'amour et les souffrances
qu'il cause :

> Il n'est tigre plus fort, lion plus redoutable ;
> Il n'épargne tourments, gênes, flammes, ni fers,
> Il passe en cruauté la mort et les enfers ;
> Il presse, oppresse, brûle, étouffe, désespère... »

L'hyperbole et l'emphase se rencontrent surtout lorsque les
personnages expriment leur souffrance ou leur jalousie.
Méliane, desespérée à l'idée de perdre son amant, invoque le
soleil, la lune, la terre, et demande enfin aux dieux des vents et
des mers le moyen de mieux crier sa douleur (*Tyr et Sidon*, II,
II, I) :

> « — Prête-moi tes poumons, afin que puissamment
> Je pousse des soupirs égaux à mon tourment.
> Donne-moi tous tes flots, roi des ondes cruelles,
> Qu'ils deviennent en moi larmes continuelles. »

Le désespoir de Damon, qui se croit trahi par Madonte, n'est
pas moins grandiloquent, et l'hyperbole aboutit ici à une somp-
tueuse image baroque (*Madonte*, II, 6) :

> « ... que ces prés voisins, noyés dedans mon sang,
> Fassent pour m'abîmer un assez large étang »,

La jalousie fait proférer aux femmes des menaces emphatiques :

« — Décharge-toi, mon cœur, fais éclater ta rage,
Fulmine »,

s'exclame Lisimène, qui croit son amant infidèle (*Pyrandre et Lisimène*, II, 6) ; Mélanire veut faire tomber « un foudre » sur celui qui l'a dédaignée (*Le Prince déguisé,* III, 6). Et on a vu que la frénésie de Pymante, lorsque Dorise lui échappe, prenait des proportions cosmiques (*Clitandre*, IV, 2). Le comble est atteint dans ces « déclarations d'anthropophages », comme le dit plaisamment J. Scherer, que profèrent certains personnages, sous l'effet de la fureur ou de la haine. Telles ces menaces de Cléagénor, à qui on va amener l'assassin prétendu de Doristée (V, 6) :

« — Ma main de mille coups lui percera le flanc ;
J'arracherai son cœur, et je boirai le sang » ;

ou ce cri de haine de Polyxène à Tyridate (*L'Amour tyrannique*, IV, 6) :

« — Je mangerais ton cœur...[28] »

L'antithèse, en rapprochant deux termes opposés, permet souvent aussi aux personnages d'exprimer leurs sentiments avec force, soit que, partagés entre deux passions contradic-

---

28. Mars rend aussi éloquent que Vénus et l'évocation des exploits ou de la valeur guerrière prend volontiers aussi un tour hyperbolique.
« — Mon nom sert de rempart à toute la Castille »,
proclame fièrement le Comte du *Cid* (I, 3) ; et Tiridate, dont l'orgueil n'est pas moindre, se félicite ainsi de sa victoire (*L'Amour tyrannique,* I, 2) :
« — Notre rare valeur a passé comme un foudre. »
Ailleurs (*Cléomédon,* I, 1), la reine Argire, pour animer son fils au combat, lui rappelle ses victoires en ces termes :
« — Déjà nos ennemis ont senti les tonnerres
Que ton bras redoutable a lancés sur leurs terres ;
Déjà leurs champs déserts blanchissent d'ossements » ;
et le carnage a été tel que le soleil s'étonne de voir
« Où fut un grand royaume un ample cimetière » !

toires, ils disent le déchirement qu'ils ressentent, soit que leur joie ou leur douleur contrastent avec la situation dans laquelle ils se trouvent.

> « ... j'ignore aujourd'hui si je porte dans l'âme
> Un amour ou bien un enfer »,

se lamente Bélise, éprise d'un prince qu'on destine à sa sœur (*Cléomédon*, III, 1) ; plus loin, dans la même pièce (IV, 1), ce prince multiplie les antithèses pour se féliciter de son infortune — sa captivité — qui lui a permis de voir et d'aimer Célanire ; et c'est encore à l'antithèse que recourent Célanire, pour s'affliger sur le sort de son amant (*ibid.*) :

> « — Il nous combla de biens, on le comble de gênes ;
> Il nous tira des fers, on le met dans les chaînes »,

ou Cléomédon lui-même, pour déplorer l'injustice du destin ou l'ingratitude du roi (IV, 3) :

> « — J'ai ramené le jour où régnaient les ténèbres,
> Et j'ai fait, d'un empire où je dois triompher,
> Pour tout le monde un ciel, pour moi seul un enfer. »

Ailleurs, c'est le mal d'amour qui s'exprime antithétiquement dans la bouche de Cassandre (*Tyr et Sidon*, I, IV, 5) :

> « — Or je meurs le voyant, et je meurs sans le voir » ;

le dépit d'un brutal, déplorant que l'épée du meurtrier lui inflige le sort que sa passion lui eût fait subir (*L'Hypocondriaque*, II, 3) :

> « — Ce que la flamme eût fait, tu le fais par le fer » ;

ou le dilemme dramatique dans lequel se débat le héros du *Cid* (I, 6) :

> « — Contre mon propre honneur mon amour s'intéresse :
> Il faut venger un père, et perdre une maîtresse ;

L'un m'anime le cœur, l'autre retient mon bras.
Réduit au triste choix ou de trahir ma flamme,
        Ou de vivre en infâme,
Des deux côtés, mon mal est infini. »

Scudéry semble affectionner particulièrement cette figure de style, fort goûtée du public jusqu'aux années 1640. Dans *L'Amant libéral,* c'est d'abord Isaac qui en use en faisant un chantage infâme auprès de sa captive (I, 1) :

« — Vois les maux où tu cours, et les plaisirs offerts ;
Quitte cette arrogance, et regarde tes fers,
Et te souviens, encor que ton mépris me brave,
Que je suis toujours maître, et toi toujours esclave » ;

puis, Léandre se plaint, toujours antithétiquement, de s'être vu préférer un rival plus riche (I, 4) :

« — Il rencontra l'amour, et je trouvai la haine ;
Je combattis pour vaincre, il la vainquit sans peine » ;

avant que Halime, la femme du cadi, éprise du beau captif, ne confie à ses suivantes (III, 1)

« qu'un esclave est son maître »,

et que,

« tout chargé de fers, il fonde son empire. »

Ces antithèses, parfois lassantes lorsque Scudéry — ou Du Ryer — les accumule dans ses amplifications oratoires, sont plus frappantes quand elles expriment, dans le dialogue, l'opposition irréductible de deux prsonnages, comme dans *Eudoxe,* dans la scène où le bon et le mauvais conseillers s'affrontent devant le roi (I, 4) :

OLICHARSIS. « — O le mauvais conseil !
ASPAR.   — Utile.
OL.   — Vicieux.
ASPAR. — Plaisant.

OL. — Mais déshonnête (...)
    Il vous perd.
ASPAR.   — Je vous sauve.
OL.   — Il vous nuit.
ASPAR.   — Je vous sers... » ;

ou dans celle, plus dramatique encore, où Genséric veut forcer l'impératrice à céder à sa passion (II, 3) :

GENSÉRIC. « — J'ai beaucoup de pouvoir.
EUDOXE.   — J'ai beaucoup de courage.
GENSÉRIC. — Craignez, craignez un roi que vous mettez si bas.
EUDOXE. — Je ne crains que le Ciel que je n'offense pas... »

La stichomythie donne ici plus de force encore aux formules antithétiques, comme dans les répliques fameuses *Du Cid* (II, 2) :

LE COMTE. — « — Retire-toi d'ici.
RODRIGUE.   — Marchons sans discourir.
LE CCOMTE. — Es-tu si las de vivre ?
RODRIGUE.   — As-tu peur de mourir ? »

D'autres figures de style contribuent encore à suggérer la violence des sentiments et des passions. Ainsi les apostrophes et les invocations que les héros, au plus fort de leur fureur ou de leur désespoir, adressent aux dieux ou aux forces de la nature. Dans *Clitandre* (II, 1), Pymante, après s'en être pris aux « destins » qui l'ont empêché d'assassiner son rival, appelle à son secours les puissances infernales :

« — Sortez de vos cachots, infernales furies,
Apportez à m'aider toutes vos barbaries ;
Qu'avec vous tout l'enfer m'assiste en ce dessein. »

Méliane, se croyant abandonnée par Belcar, invoque les « monstres infernaux » et les « euménides fureurs », à qui elle demande de l'entraîner chez les morts (*Tyr et Sidon*, II, IV, 3). Cléomédon, que la perte de Célanire a rendu insensé, appelle à son secours les Titans (IV, 3). Quant à Cloridan, à qui on vient

d'annoncer la mort de sa maîtresse, il s'en prend successivement aux dieux —

« Je romprai vos autels, je détruirai vos temples » —

et au soleil, qui ne devrait pas se montrer lorsque l'univers
est en deuil, avant de prier la mort de l'accueillir (*L'Hypocondriaque*, III, 2) :

« — Les portes de l'enfer à ma prière s'ouvrent. »

La plupart du temps, la violence des sentiments se manifeste — et s'impose à l'auditoire — par l'étendue des tirades où
la passion se donne libre cours, et où le dramaturge utilise
toutes les ressources de la rhétorique pour « amplifier » son
discours et en accroître l'énergie ou le pathétique : énuméra-
tions, anaphores, parallélismes, interrogations oratoires, etc.
Le triplement de l'expression est de règle chez ces personnages
nourris de rhétorique, que ce soit Cléomédon, qui se désole de
perdre Célanire (III, 2) :

« — Je puis pour vous éteindre ou rallumer la guerre ;
Mais vaincre mon amour, étouffer mes ennuis,
Et vivre enfin sans vous, c'est ce que ne puis[29] ;

Bélisaire, déplorant le changement de Justinien à son égard
(*Bélissaire*, V, 5) :

« — En me faisant du bien, vous me fûtes barbare,
En m'obligeant, cruel, en me donnant, avare » ;

ou l'impératrice Eudoxe, se plaignant devant Genséric
(*Eudoxe*, II, 3) :

« — Ne vous suffit-il pas de me tenir captive ?
De me faire languir sur une étrange rive ?

---

29. Noter aussi le chiasme, la métaphore, l'antithèse. La passion est vraiment bien ingénieuse à s'exprimer !

Et, loin des bords du Tibre où jai régné longtemps,
Empêcher le secours de la mort que j'attends[30] ? ».

Mais dans les grands mouvements passionnels, la phrase s'enfle davantage encore. Dans la belle tirade d'Eudoxe dont nous venons de citer un fragment, l'accumulation des termes exprime tour à tour la fierté, le mépris, la prière : indignée par l'attitude du roi vandale à son égard, Eudoxe énumère au tyran ses titres :

« — Deux fois impératrice et deux fois couronnée, (...)
Compagne d'un César, d'un empereur romain,
Fille d'Athénaïs, fille de Théodose »,

et lui déclare qu'

« il n'est grandeur royale, il n'est rang, ni puissance,
Honneur, respect, devoir, service, obéissance,
Amour, contentement, félicité, plaisir,
Qui puisse (la) toucher »,

avant de le conjurer

« par Rome surmontée,
Par ce haut rang de gloire où la vôtre est montée,
Par ces fameux lauriers qui vous ceignent le front,
Par ce bras furieux, si vaillant et si prompt,
Par ce titre de roi, par l'honneur, par vous-même »,

de la poignarder, sans espérer se faire jamais aimer d'elle.

Amplification encore dans la grande tirade où le comte de Gormas énumère les qualités indispensables au gouverneur d'un prince, énumération qui trahit tout son orgueil (*Le Cid*, I, 4) :

---

30. Remarquer que la pensée s'approfondit en même temps que la phrase s'étoffe : la troisième complétive est plus longue que les précédentes, et le sens plus riche (non seulement elle souffre et désire mourir, mais le tyran contrarie même ce vœu). Dans les meilleurs textes, l'amplification n'est pas seulement formelle.

> « — Montrez-lui comme il faut régir une province,
> Faire trembler partout les peuples sous sa loi,
> Remplir les bons d'amour et les méchants d'effroi (...)
> Montrez-lui comme il faut s'endurcir à la peine,
> Dans le métier de Mars se rendre sans égal,
> Passer les jours entiers et les nuits à cheval
> Reposer tout armé, forcer une muraille,
> Et ne devoir qu'à soi le gain d'une bataille. »

La même pièce comporte des tirades célèbres, où la reprise anaphorique d'un terme à la tête de plusieurs vers consécutifs communique à la phrase la passion dont est animé le personnage. C'est Dom Diègue qui déplore la perte de sa vigueur passée (I, 5) :

> « — Mon bras, qu'avec respect toute l'Espagne admire,
> Mon bras qui tant de fois a sauvé cet empire,
> Tant de fois affermi le trône de son roi[31]... » ;

c'est Chimène qui exige qu'on venge son père, qui a si souvent sauvé l'Etat (II, 8) :

> « — Ce sang qui tant de fois garantit vos murailles,
> Ce sang qui tant de fois gagna des batailles,
> Ce sang qui, tout sorti, fume encor de courroux
> De se voir répandu pour d'autres que pour vous[32] » ;

Ailleurs, ce sont plusieurs formules parallèles qu'un personnage accumule dans une plaidoirie passionnée, comme celle de Cléomédon, indigné de voir Policandre donner à l'ennemi vaincu sa fille et son royaume (III, 5) :

> « — Il voulut votre sceptre, et vous l'abandonnez ;
> Il voulut votre perte, et vous vous ruinez ;
> Vous le mettez au but où l'on le vit prétendre,
> Vous donnez au voleur le bien qu'il ne put prendre,

---

31. Noter la variation du terme anaphorique (« mon bras », « tant de fois »), qui, tout en gardant l'élan oratoire, dissimule le procédé.
32. Avec l'anaphore, toujours le triplement de l'expression avec l'allongement du troisième terme.

> Et, lorsqu'il est trop faible et qu'il est sans vigueur,
> Vous lui prêtez vos mains pour vous percer le cœur. »

Le héros ou l'héroïne, dont l'amour a été trahi, expriment souvent leur douleur par une série d'interrogations pathétiques. Ainsi Ursace qui, sachant sa maîtresse au pouvoir de Genséric, refuse d'entendre les conseils de modération de son ami Olimbre (*Eudoxe*, II, 1) :

> « — Hélas ! trop sage ami, que veux-tu que j'attende ?
> Qu'un barbare insolent me ravisse mon bien ?
> Qu'il m'enlève un trésor ? Qu'il ne me laisse rien ?
> Et que je sois venu sur la rive d'Afrique
> Pour rendre ma disgrâce ou ma honte publique ? » ;

ou Lisimène qui, dans la tragi-comédie de Boisrobert, s'indigne à la pensée que son amant lui préfère une autre femme (*Pyrandre et Lisimène*, II, 6) :

> « — Quoi ! d'un tel affronteur je serai méprisée ?
> Quoi ! je lui servirai de fable et de risée ?
> Mes attraits adorés deviendront impuissants ?
> Mon zèle, mon ardeur et mes vœux innocents
> Seront le pis aller d'une âme déloyale ?
> Je verrai de ma foi triompher ma rivale ? »

Citons encore la belle tirade où la reine Salmacis demande pathétiquement à Cléandre comment elle pourrait toucher son cœur (*L'Heureux Naufrage*, V, 4) :

> « — Est-ce que dans l'éclat ton courage s'étonne ?
> Crains-tu de succomber au faix d'une couronne ? (...)
> Eh bien ! pour être tienne et pour suivre tes pas,
> Faut-il fouler aux pieds ce qui ne te plaît pas ?
> Faut-il sacrifier à cet amour extrême
> Titres, possessions, et sceptre, et diadème ?
> Bannirai-je pour toi respect, honte et devoir ?
> Et faut-il seulement tout perdre pour t'avoir ? »

Ces interrogations passionnées d'une femme amoureuse, jointes au spectacle de cette reine, implorant la pitié de l'homme qu'elle a condamné à mort et qu'on voit, attendant son supplice sur l'échafaud, devaient évidemment être d'un grand effet sur la sensibilité des spectateurs[33].

Parfois le lyrisme s'allie à la rhétorique pour mieux émouvoir le public au spectacle des souffrances du héros : c'est notamment le cas des stances, fréquentes dans la tragi-comédie à partir de 1630[34] jusqu'à l'époque de la Fronde, date à laquelle elles connaîtront le sort du monologue, jugé peu vraisemblable, et tendront à disparaître[35]. Toutes les stances ne sont pas pathétiques : celles de *L'Heureux Naufrage* (IV, 2), où l'héroïne débite un lieu commun sur la mort, ou celles du *Prince déguisé* (II, 5), sorte de conte où le galant travestit sa propre histoire, n'ont rien de particulièrement émouvant. D'autres stances, au contraire, grâce à la fermeté du vers et à une heureuse disposition rythmique, font partager à l'auditeur la douleur ou la détresse du personnage qui se plaint. C'est Ursace qui, cherchant dans les ruines calcinées du palais de Genséric les restes de sa maîtresse, nous confie son désespoir (*Eudoxe*, IV, I) :

> « — Ciel, faites que je la rencontre !
> Faites que le sort me la montre,
> Cette cendre adorable et que j'adore aussi... »

---

33. Comme les interrogations, les exclamations répétées expriment aussi la violence des sentiments et usent de la même rhétorique pour émouvoir le public. On en a un exemple remarquable dans *Laure persécutée,* IV, 2, ou le héros, Orantée, exprime d'abord son aversion pour l'infidèle par une série d'exclamations :
« — Moi, que je souffre Laure et lui parle jamais ! (...)
Que je visite Laure et la caresse un jour !
Que Laure puisse encor me donner de l'amour ! »
Mais il ne peut oublier la jeune femme — dont il répète sans cesse le nom — et, se ravisant, il se demande comment il ne pourrait plus voir celle qu'il n'a jamais cessé d'aimer ; d'où une autre série d'exclamations :
« — Moi, que du choix de Laure enfin je me repente !
Que jamais à mes yeux Laure ne se présente !
Que de Laure mon cœur n'ose s'entretenir ! etc. »
Bel exemple de la versatilité des amants, et aussi d'amplification pathétique.
34. Lancaster constate que la moitié des tragi-comédies jouées entre 1630 et 1634 comportent des stances. Certaines — *Céliane, Eudoxe* — n'ont pas moins de trois monologues en stances.
35. Voir J. Scherer, *op. cit.,* p. 294 sqq.

C'est Bélise, qui chante douloureusement son amour sans espoir pour le prince Céliante (*Cléomédon*, III, 1) :

> « — Je suis dedans les fers, je suis dedans la flamme;
> L'un et l'autre à son tour tâche de m'étouffer,
> Et j'ignore aujourd'hui si je porte dans l'âme
> Un amour, ou bien un enfer. »

Et chacun connaît les célèbres stances où Rodrigue, avant d'agir, exprime son déchirement entre sa passion pour Chimène et l'honneur qui l'oblige à venger son père (*Le Cid*, I, 7), stances dont la dernière rime (peine/Chimène) revient à six reprises, comme une plainte lancinante.

Le goût des spectateurs du temps pour la belle tirade ou le monologue pathétique n'empêche pas les dramaturges d'écrire aussi des dialogues émouvants, comme ces duos d'amour où deux jeunes gens se lamentent sur le sort injuste qui les accable, ou dramatiques, comme ceux où un personnage tente vainement de convaincre son interlocuteur, cette dernière forme de dialogue s'animant parfois jusqu'à une haletante stichomythie. Le duo d'amour du *Cid* (III, 4) où l'offre que fait Rodrigue de sa vie à celle dont il a tué le père arrache à Chimène l'aveu de son amour, est justement célèbre.

Moins connu, mais pathétique aussi, est l'entretien de Célanire, que le roi son père destine à un autre, et Cléomédon, qui ne sait rien encore (*Cléomédon*, III, 3) :

> CÉLANIRE. « — Ne vous a-t-il rien dit ?
> CLÉOMÉDON.   — Rien, sinon que ce soir,
>   Pour un point important j'allasse le revoir.
> CÉL. — Hélas !
> CLÉO.   — Que dites-vous ?
> CÉL.   — Hélas, il faut me taire,
>   Et dire seulement : c'est mon roi, c'est mon père.
> CLÉO. — Qu'avez-vous résolu ?
> CÉL.   — Je ne te puis haïr.
>   Je t'aime, je te plains, mais je dois obéir. »

Parmi les dialogues particulièrement dramatiques, nous pourrions citer telle scène de *L'Amour tyrannique* où une épouse trahie refuse pourtant d'aider son frère à la venger (IV, 6) :

> TIGRANE. « — Quoi ! vous devez aimer un barbare, un infâme ?
> ORMÈNE. — Oui, je le dois aimer, puisque je suis sa femme.
> TIGRANE. — Plutôt que de souffrir sa haine et son mépris,
> Que ne secondez-vous le dessein que j'ai pris ?
> ORMÈNE. — L'honneur me le défend... » ;

l'affrontement entre Cléon et le roi son père, qui lui reproche un amour indigne de sa condition (*Cariste*, I, 3) :

> CLÉON. « — Ne m'ôtez point Cariste, ou donnez-moi la mort.
> ANTHÉNOR. — Devez-vous malgré moi servir cette étrangère ?
> N'êtes-vous pas mon fils ?
> CLÉON.   — N'êtes-vous pas mon père ?
> Au moins, plaignez le mal dont je suis affligé.
> ANTHÉNOR. — N'irritez point celui dont je suis outragé » ;

ou encore la belle scène du *Prince déguisé* (V, 8), où deux amants, rivalisant de générosité, demandent chacun de mourir pour l'autre.

Parfois le dialogue s'anime, les répliques se font plus vives et plus courtes, les interlocuteurs se répondant « du tac au tac », en reparties parallèles : c'est la stichomythie, que les dramaturges baroques ont souvent employée pour sa vivacité pathétique. Jean de Schelandre s'y essayait parfois maladroitement dans *Tyr et Sidon*, lorsqu'il nous montrait par exemple la nourrice tentant de raisonner l'amoureuse Cassandre (II, I, 5) :

> CASSANDRE. « — Est-ce aimer follement que d'aimer son
> [pareil ?
> ALMODICE. — C'est aimer follement que d'aimer sans
> [conseil » ;

ou bien Méliane essayant de tempérer l'ardeur de Belcar (II, II, 9) :

> MÉLIANE. « — Faites-vous tant d'état d'une action brutale ?
> BELCAR. — C'est le point le plus doux que la nature étale.

MÉLIANE. — Des fruits hors de saison nul ne se doit pourvoir.
BELCAR. — Le fruit est en saison quand on le peut avoir... »

Rotrou emploie souvent le procédé dans ses tragi-comédies :
répliques de deux vers, comme ce dialogue de *L'Heureux Nau-*
frage (II, 3), où la reine Salmacis presse Cléandre d'oublier sa
maîtresse ; stichomythies véritables (un vers par réplique) dans
Iphigénie, quand Ménélas reproche à Agamemnon d'avoir
voulu faire échapper sa fille (II, 2) :

AGAMEMNON. « — Est-ce là le devoir qu'on défère à mon rang ?
MÉNÉLAS. — Même devoir nous lie, ainsi que même sang.
AGAMEMNON. — Il faut qu'un insolent impunément me brave !
MÉNÉLAS. — Je suis né votre frère, et non pas votre esclave »,

ou lorsque Calchas blâme Agamemnon de pleurer Iphigénie
(V, I) :

CALCHAS. « — Vos pleurs souillent les lieux consacrés à Diane.
AGAMEMNON. — Du sang les lavera, si de l'eau les profane.
CALCHAS. — C'est un lâche devoir que l'honneur vous défend.
AGAMEMNON. — Le sang défend bien plus d'immoler son
                                          [enfant.
CALCHAS. — Mais faut-il que le sang toujours se contrarie ?
AGAMEMNON. — Puisque l'on m'assassine, il faut bien que je
                                          [crie. »

Scudéry surtout recourt volontiers aux stichomythies pathétiques — il en abuse même ; mentionnons seulement, dans
Eudoxe, l'affrontement entre Genséric et son fils Thrasimond,
qui tente vainement de le raisonner (III, 1) :

GENSÉRIC. « — Vous perdez le respect que vous devez avoir.
THRASIMOND. — Je songe à votre gloire, et je fais mon devoir.
GENSÉRIC. — Vous n'appréhendez point ma colère irritée ?
THRASIMOND. — On doit l'appréhender quand on l'a méritée »,

ou le dialogue dramatique entre le roi vandale et sa captive, le
chantage du premier se heurtant à l'intransigeance de la fière
impératrice (III, 6) :

GENSÉRIC. « — Rien ne peut empêcher que je ne me contente.
EUDOXE. — Oubliez-vous l'honneur ?
GENSÉRIC.   — Tout, pour vous posséder.
EUDOXE. — Écoutez la raison.
GENSÉRIC.   — Elle vient de céder.
EUDOXE. — Elle parle pourtant.
GENSÉRIC.   — Elle est mal écoutée... »,

jusqu'au moment où, après un crescendo pathétique, la violence l'emporte :

EUDOXE. « — Quoi ! mes propos sont vains ?
GENSÉRIC.   — Gardes, rompez la porte. »

Dernier moyen, enfin, de frapper l'imagination et la sensibilité du public, le récit descriptif, faisant appel au pouvoir suggestif des mots, s'efforce de « faire voir » les exploits du héros ou d'évoquer les scènes tragiques. On peut s'étonner de trouver de pareils récits dans un théâtre qui préfère représenter l'action que la dire, et qui, comme l'écrivait Mareschal dans la préface de *La Généreuse Allemande*, « veut toujours agir dans les diversités, qui pourraient ennuyer si elles n'étaient que simplement racontées ». Toutefois le goût du public pour le spectacle est combattu par un goût non moindre pour la rhétorique et la « belle tirade ». Ce goût, joint aux exigences de l'unité de lieu et au respect croissant de la vraisemblance ou des bienséances, explique que les récits soient fréquents même dans le genre qui paraissait pouvoir le mieux s'en dispenser.

Outre le prestige du récit, d'ailleurs, les difficultés matérielles de la représentation font qu'on préfère décrire et suggérer par les mots ce qu'on aurait bien du mal à reproduire sur le théâtre, comme ces tempêtes que Rotrou, après Homère et Virgile, fait raconter à ses héros. *La Belle Alphrède* commence par l'évocation de la tempête qui a empêché l'héroïne de rejoindre son amant (I, 1) :

« — A peine as-tu sur l'eau ses vaisseaux aperçus,
Que d'un soudain courroux les vents se sont émus,
Et qu'astres, éléments, flots, vents, grêle et tonnerre,

> Tous, d'un commun accord, t'ont déclaré la guerre ;
> Les airs se sont troublés, le tonnerre a grondé,
> Les vents d'un soin aveugle ont ton vaisseau guidé » ;

et c'est encore une tempête, qui a jeté sur le rivage du royaume de Salmacis Cléandre, qui lui raconte son naufrage (*L'Heureux Naufrage*, I, 2) :

> « — Une épaisse vapeur nous cache la lumière ;
> L'orage d'un beau jour fait une affreuse nuit ;
> L'air retentit partout d'un effroyable bruit (...)
> L'air redouble ses bruits et les vents son haleine,
> Ce fier tyran des airs fait cent monts d'une plaine,
> Il rompt, déchire, fend cordes, voiles et mâts » ...

Si l'Odyssée a fourni des modèles aux descriptions de tempêtes, l'Illiade offrait aussi de nombreux récits de batailles, et nos tragi-comédies, si elles mettent volontiers en scène des combats singuliers, préfèrent, lorsqu'il s'agit de batailles de quelque importance, le récit d'un narrateur à une représentation impossible. Ainsi, dans *Tyr et Sidon* (I, III, 2), Phulter, contant au roi tyrien la rencontre au cours de laquelle le prince Léonte a été fait prisonnier, décrit les combattants, « décocheurs de traits », cavaliers, « lanciers harnachés », etc., avant d'évoquer la mêlée où

> « tant de voix, de tambours, de cliquetis divers
> Faisaient comme en chaos résoudre l'univers[36] ».

Corneille, qui se flattait dans la préface de *Clitandre* d'avoir « mis les accidents mêmes sur la scène » et qui montrait « l'avantage que l'action a sur ces longs et ennuyeux récits », nous donne, en faisant raconter par Rodrigue sa victoire sur les Mores (*Le Cid*, IV, 3), un des récits les plus évocateurs de notre

---

36. PHULTER narre ensuite les exploits du prince qui taille et renverse
> « plus d'ennemis navrés,
> Qu'on ne voit trébucher de fleurettes aux prés,
> Quand un robuste ouvrier à l'échine étendue
> Fraye d'un courbe outil la rive non tondue »,
comparaison contrastée qui fait penser à Hugo.

théâtre. La longue exposition du *Prince déguisé*, de Scudéry, comporte une belle évocation de combat naval (I, 1) :

> « — Les vaisseaux accrochés sont horribles à voir ;
> On attaque, on résiste, et tous font leur devoir ;
> L'on combat main à main, et chacun s'évertue
> Pour traîner avec soi l'ennemi qui le tue.
> On voit tomber en l'eau mille corps tout sanglants (...)
> Un vaisseau coule à fond, un autre tout brisé,
> De crainte d'être pris, se fait voir embrasé
> Et, couvrant le soleil d'une épaisse fumée,
> Dérobe aux yeux de tous et l'une et l'autre armée.
> Le feu se communique, entre aux autres vaisseaux,
> Si bien qu'il semble naître au milieu de ces eaux :
> Mille pointes de flamme en l'air sont ondoyantes,
> Qui s'élèvent du sein des vagues aboyantes... »

Très suggestive aussi cette description que Tigrane fait à sa sœur de la prise d'Amasis, dans *L'Amour tyrannique* (IV, 6) :

> — Peignez-vous dans l'esprit des mères désolées,
> Des enfants égorgés, des filles violées ;
> De la flamme, du sang, des temples profanés,
> Des femmes sans honneurs, des hommes enchaînés,
> Des remparts démolis ; et la richesse encore
> Que le soldat emporte, ou que le feu dévore ;
> Du bruit, des pleurs, des cris, des charbons et du fer,
> Un désordre effroyable, un tableau de l'enfer. »

De pareils récits, véritables « hypotyposes » comme disent les rhétoriciens — l'emploi des mots « peignez », « tableau » est très révélatrice des intentions de l'auteur —, montrent bien le souci du dramaturge de frapper l'imagination des spectateurs, d'imprimer ces spectacles terribles dans leur « fantaisie », selon l'expression du héros de Scudéry, et de suppléer par la magie évocatoire du discours aux insuffisances de la mise en scène.

Tous les récits ne sont pas aussi pittoresques, bien des tirades sont fastidieuses et certains dialogues languissants. Mais les exemples que nous avons cités — et l'on pourrait en ajouter bien d'autres — témoignent tous de ce goût baroque pour le spectaculaire et le pathétique, de cet effort des dramaturges pour montrer et pour émouvoir. Gestes érotiques ou affrontements sanglants, prisons et échafauds, cérémonies et jugements solennels, sortilèges ou théophanies satisfont les yeux d'un spectateur plus intéressé par ce que lui présente une mise en scène, même rudimentaire, que par les raffinements de l'analyse psychologique. Et, si les conditions matérielles de la représentation empêchent de montrer l'action physique ou lorsque la tyrannie des unités et des bienséances restreindra la part du spectacle, les ressources d'une rhétorique expressionniste permettent au dramaturge, par la puissance du langage, d'éveiller chez l'auditeur la compassion ou la sympathie, l'admiration ou l'horreur.

En guise de conclusion

La tragi-comédie — on l'a vu par ce panorama nécessairement rapide — a donc été très populaire dans la première moitié du XVIIᵉ siècle, et les meilleurs dramaturges du temps — Hardy, Mairet, Rotrou, Du Ryer, Boisrobert, Scudéry, P. Corneille, Quinault — ont donné dans ce genre quelques-unes de leurs meilleures pièces.

Cette forme dramatique, apparue dans le dernier tiers du XVIᵉ siècle et qui restera vivace jusque vers 1660, coïncide, avec un léger décalage, avec le théâtre élisabéthain et la *comedia* espagnole, avec lesquels elle présente de grandes analogies — irrégularité (au moins jusqu'en 1640), action souvent violente et fertile en péripéties, goût du spectacle, rhétorique expressionniste alliant le pathétique et l'outrance aux pointes les plus recherchées —, caractères baroques qui disparaîtront avec le classicime. Refuge des « irréguliers », résistant, plus que la pastorale ou la tragédie, au terrorisme des « doctes », la tragi-comédie a cependant évolué de Hardy à Quinault, renonçant peu à peu aux péripéties romanesques et à la complexité d'intrigue, et gagnant en concentration dramatique et en profondeur psychologique. La tragi-comédie d'aventures et les « chaînes d'amants » héritées de la pastorale ont fait place à l'huis-clos passionnel des tragi-comédies de palais, en même temps que le mélange des genres, si piquant chez Jean de Schelandre ou dans les premières pièces de Rotrou, disparaissait dans ces sortes de « tragédies à fin heureuse » qu'on écrira après 1640.

Malgré cette évolution, on l'a vu, les caractères essentiels du genre demeurent : sujets sérieux où la vie ou le bonheur des héros sont mis en péril, dénouement heureux, rang élevé des protagonistes, romanesque de l'intrigue, même si elle est empruntée à l'histoire. On a constaté aussi que les mêmes situations se retrouvaient d'une pièce à l'autre, dans l'ordre attendu : coup de foudre, conquête — souvent grâce à un déguisement —, obstacles — père, rival, jalouse, haines familiales — qui contrarient les amants, crise où les amants désespèrent ou luttent pour leur bonheur, dénouement où, grâce à l'effacement du rival, à l'échec des jaloux ou à une reconnaissance opportune, les obstacles tombent et les amants sont réunis. On a pu établir ainsi une sorte de morphologie de la tragi-comédie, véritable « modèle » du genre auquel se conforment la plupart des œuvres.

Récurrence des thèmes également, liés à une conception de l'amour — amour-adoration chez les protagonistes, violence meurtrière des rivaux, brutalités des mal-aimés, perfidie des jalouses, désespoirs menant à la folie ou au suicide —, ou à une éthique conventionnelle — bons rois et tyrans, guerre et paix, mérite personnel et inégalité sociale. A côté de ces thèmes, lieux communs moraux ou conception romanesque de l'amour, la fréquence de certaines situations « piquantes » — relations ambiguës dues à un travesti, risque d'unions incestueuses — nous ont semblé révéler certaines obsessions inavouées.

La tragi-comédie, surtout à l'époque de Hardy et dans les années 1630-1640 où elle connaît son apogée, est un art destiné à un public populaire, friand de spectacle et d'émotions, ce qui explique l'importance des éléments visuels et la rhétorique pathétique qu'on a remarquées dans la plupart des œuvres.

Il serait aisé de montrer les insuffisances de ce théâtre : une psychologie sommaire, des caractères stéréotypés, des intrigues invraisemblables, l'abus de procédés mélodramatiques, une certaine outrance stylistique rendent la lecture de quelques-unes de ces pièces lassante, à moins que nous ne sourions de la grossièreté des ficelles et des moyens employés. Mais les auteurs de tragi-comédies ont eu le mérite, après les interminables lamentos statiques de la tragédie humaniste, de créer un théâtre vivant, dynamique, où des personnages passionnés s'affrontent en des scènes dramatiques, et où l'intérêt du spectateur ne faiblit pas : ils ont donné ainsi le sens de l'action à la tragédie classique. De plus, lorsque, sous l'influence des théoriciens, le foisonnement des péripéties romanesques a fait place à une intrigue unifiée, que les protagonistes, moins dispersés, ont acquis plus de consistance psychologique et ont affronté des problèmes humains, que la langue, mieux maîtrisée, a pu exprimer avec vigueur et justesse les dilemmes et les tourments des héros, leurs élans et leurs désespoirs, la tragi-comédie a donné quelques-unes des meilleures œuvres dramatiques du XVIIᵉ siècle : *Cléomédon* ou *Le Prince déguisé, Bélissaire* ou *Théodore* ne sont pas indignes du *Cid*.

BIBLIOGRAPHIE

Nous n'indiquons ici que les études les plus importantes, que nous avons utilisées pour la rédaction de ce livre. Le lecteur trouvera une bibliographie plus complète sur le théâtre aux XVIᵉ et XVIIᵉ siècles dans les ouvrages de J. TRUCHET, *La Tragédie classique en France*, Paris, PUF, 1975, et de G. GIRARD, R. OUELLET et C. RIGAULT, *L'Univers du Théâtre*, Paris, PUF, 1978.

ÉTUDES GÉNÉRALES

a) *Livres*

A. ADAM. — *Histoire de la littérature française au XVIIᵉ siècle*, Paris, Domat, 1948-1956 (en particulier le tome I).

R. BRAY. — *La formation de la doctrine classique en France*, Paris, 1927, réimp. Nizet, 1966.

G. BRERETON. — *French tragic drama in the 16th and 17th centuries*, Londres, Methuen, 1973.

S. W. DEIERKAUF-HOLSBOER. — *Histoire de la mise en scène dans le théâtre français à Paris de 1600 à 1673*, Paris, Nizet, 1961.

M. DESCOTES. — *Le public de théâtre et son histoire*, Paris, PUF, 1964.

M. T. HERRICK. — *Tragi-comedy, its origin and development in Italy, France and England*, Urbana, Univ. of Illinois Press, 1955.

J. JACQUOT (sous la dir. de). — *Dramaturgie et Société. Rapports entre l'œuvre théâtrale, son interprétation et son public aux XVIᵉ et XVIIᵉ siècles*, Paris, CNRS, 1968.

H. C. LANCASTER. — *A history of French dramatic literature in the seventeenth century*, 9 vol, Baltimore, 1929-1942.

H. C. LANCASTER. — *The French tragi-comedy. Its origin and development from 1552 to 1628*, Baltimore, 1907.

H. C. LANCASTER. — Ed. du *Mémoire* de L. Mahelot, Paris, 1920.

P. LARTHOMAS. — *Le langage dramatique*, Paris, A. Colin, 1972.

J. MARSAN. — *La pastorale dramatique en France à la fin du XVIᵉ et au commencement du XVIIᵉ siècle*, Paris, 1905.

J. MOREL. — *La tragédie*, Paris, A. Colin, 1966.

J. ROUSSET. — *La littérature de l'âge baroque en France. Circé et le Paon*, Paris, Corti, 1953.

J. SCHERER. — *La dramaturgie classique en France*, Paris, Nizet, 1950.

J. TRUCHET. — *La tragédie classique en France*, Paris, PUF, 1975.

b) *Articles*

E. FISCHLER. — La tragi-comédie en France, *L'Information littéraire*, 1973, 5.

R. LEBÈGUE. — La tragédie shakespearienne en France au temps de Shakespeare, *Rev. Cours et Conf.*, XXXVIII, 1937.

R. LEBÈGUE. — Le théâtre baroque en France, *Bibl. d'Humanisme et Renaissance*, V, 1-3, 1941-1943.

J. MOREL. — Les stances dans la tragédie française au XVIIᵉ siècle, *XVIIᵉ siècle*, 66-67, 1965.

M. FUMAROLI. — *Théâtre et dramaturgie : le statut du personnage dans la dramaturgie classique*, Revue d'Histoire du Théâtre, 1972, 3.

MONOGRAPHIES

Cl. Boyer

C. C. BRODY. — *The works of C. Boyer*, New York, 1947.

P. Corneille

G. COUTON. — *Corneille*, Paris, Hatier, 1958.

M. DESCOTES. — *Les grands rôles du théâtre de Corneille*, Paris, PUF, 1962.

S. DOUBROVSKY. — *Corneille et la dialectique du héros*, Paris, Gallimard, 1964.

R. PINTARD. — De la tragi-comédie à la tragédie : L'exemple du Cid, *Mélanges Vier,* Paris, Klincksieck, 1973.

A. STEGMANN. — *Le héros cornélien, genèse et signification*, Paris, Colin, 1968.

M. O. SWEETSER. — *La dramaturgie de Corneille*, Genève, Droz, 1977.

J. TRUCHET. — A propos de *Clitandre, Héroïsme et Histoire littéraire sous les règnes d'Henri IV et de Louis XIII,* Paris, Klincksieck, 1974.

Th. Corneille

D. A. COLLINS. — *Th. Corneille, protean dramatist*, La Haye, Mouton, 1966.

R. Garnier

M. M. MOUFLARD. — *Robert Garnier, 1545-1590*, La Ferté-Bernard, 1961-1964.

M. GRAS. — *Robert Garnier, son art et sa méthode*, Genève, Droz, 1965.

G. Gilbert

E. J. PELLET. — *Gabriel Gilbert, 1610 ?-1680 ?*, Baltimore, 1930.

A. Hardy

E. RIGAL. — *Alexandre Hardy et le théâtre français à la fin du XVIe et au commencement du XVIIe siècle*, Paris, 1889.

J. Mairet

G. DOTOLI. — *Bibliographie critique de J. Mairet*, Paris, Nizet, 1973.
G. DOTOLI. — *Il cerchio aperto ; la drammaturgia di J. Mairet*, Adriatica, Bari, 1977.

A. Mareschal

L. Ch. DUREL. — *L'œuvre d'André Mareschal*, Baltimore, 1932.

Ph. Quinault

E. GROS. — *Ph. Quinault, sa vie et son œuvre*, Paris, Champion, 1926.
J. B. A. BUIJTENDORP. — *Ph. Quinault, sa vie, ses tragédies et ses tragi-comédies*, Amsterdam, 1928.

Rayssiguier

H. C. LANCASTER. — De Rayssiguier, *RHLF*, 1922.

J. Rotrou

J. MOREL. — *Jean Rotrou, dramaturge de l'ambiguïté*, Paris, A. Colin, 1968.
F. ORLANDO. — *Rotrou. Dalla tragicommedia alla tragedia*, Turin, 1963.
J. GOLDER. — « L'Hypocondriaque de Rotrou », un essai de reconstitution d'une des premières mises en scène à l'Hôtel de Bourgogne, *Revue d'Histoire du Théâtre*, 1979, 3.

P. Du Ryer

H. C. LANCASTER. — *Pierre Du Ryer dramatist*, Washington, 1912.

J. de Schelandre

J. DESCRAINS. — Jean de Schelandre, état de la question, *Actes du XCVe Congrès national des sociétés savantes, Reims, 1970*, Paris, B.N. 1974.

F. Tristan L'Hermite

D. DALLA VALLE, *Il Teatro di Tristan L'Hermite*, Turin, Giappichelli, 1964.

ÉDITIONS MODERNES

P. CORNEILLE. — *Théâtre complet*, t. I, éd. G. COUTON, Paris, Garnier, 1971.

P. CORNEILLE. — *Clitandre*, éd. R. L. WAGNER, TLF, Genève, Droz, 1949.

P. CORNEILLE. — *Le Cid*, éd. M. CAUCHIE, TFM, Paris, 1946.

P. CORNEILLE. — *Le Cid*, éd. P. NURSE, Londres, Harrap, 1978.

R. GARNIER. — *Les Juives, Bradamante*, éd. R. LEBÈGUE, Paris, Belles-Lettres, 1949.

A. HARDY. — *La force du sang*, in *Théâtre du XVIIe siècle*, t. I, éd. J. SCHERER, Paris, Gallimard, La pléiade, 1975.

J. MAIRET. — *Chryséide et Arimand*, éd. H. C. LANCASTER, Paris, 1925.

Ph. QUINAULT. — *Amalasonte*, in *Théâtre XVIIe siècle*, t. II, éd. J. TRUCHET, Bibl. de la Pléiade, en pépar.

J. ROTROU. — *L'Hypocondriaque*, éd. F. GOHIN, Paris, Garnier, 1924.

J. ROTROU. — *Laure persécutée*, in *Théâtre XVIIe siècle*, éd. J. SCHERER, Bibl. de la Pléiade, 1975.

J. de SCHELANDRE. — *Tyr et Sidon*, éd. J. W. BARKER, Paris, Nizet, 1975.

G. DE SCUDÉRY. — *Le Prince déguisé*, éd. M. MATULKA, New York, 1929.

G. DE SCUDÉRY. — *L'Amour tyrannique*, in *Théâtre XVIIe siècle*, t. II.

Tristan L'HERMITE. — *La Folie du Sage*, éd. J. MADELEINE, Paris, T.F.M., 1936.

Tristan L'HERMITE. — *Le Théâtre complet de Tristan L'Hermite*, éd. crit. par Cl. ABRAHAM, J. SCHWEITZER, J. VAN BAELEN, Univ. of Alabama Press, 1975.

INDEX
DES AUTEURS ET DES ŒUVRES

Nous donnons ici les noms d'auteurs par ordre alphabétique, alors que leurs tragi-comédies sont classées par ordre chronologique. La date indiquée est celle de l'impression (en général, la pièce a été représentée environ un an auparavant). Lorsque la date de représentation est très antérieure à la date d'impression, ou que la pièce n'a pas été imprimée, la date où elle a été jouée est mise entre parenthèses.

XVIᵉ SIÈCLE

Anonymes

Tragi-comédie La Gaule, 1560.

H. de BARRAN, *Tragique comédie française de l'homme justifié par la foi*, 1554.
J. BEHOURT, *La Polyxène*, 1597.
Cl. BONET (BENOET DU LAC), *Le Désespéré*, 1595.
Cl. BONET, *Carême-prenant, tragi-comédie facétieuse*, 1595.
J. DE LA FONS, *L'Amour vaincu*, 1599.
R. GARNIER, *Bradamante*, 1582.
P. HEYNS, *Jokebed miroir des mères, tragi-comédie de Moïse*, 1580.
R. DU JARDIN, *Les Aveugles*, 1592.
A. DE LACROIX, *L'Argument pris du 3ᵉ chapitre de Daniel*, 1561.
J. DE LAVARDIN, *La Célestine*, 1578.
L. LE JARS, *Lucelle*, 1576.
J. OUYN LOUERIEN et Mlle DES ROCHES, *Thobie*, 1597.
M. DE PAPILLON (LASPHRISE), *La Nouvelle tragi-comédie*, 1597.
Mlle DES ROCHES, *Un acte de la tragi-comédie de Tobie*, 1579.
Ch. TIRAQUEAU et Scévole de SAINTE-MARTHE, *Tragi-comédie de Job*, 1579 (72).

XVIIᵉ SIÈCLE

Anonymes

Alexandre et Annette, 1619.
Le Duelliste malheureux, 1635.
Tragi-comédie des Enfants de Turlupin, 1610.

R. GUICHEMERRE

Fanfreluche et Gaudichon, 1612.
La Fille généreuse, (1650).
Josaphat, 1645.
La Juste Vengeance, 1640.
Persélide, 1646.
Le Sage jaloux, 1646.

F. AUFFRAY, *Zoanthropie ou Vie de l'Homme*, 1614.
J. AUVRAY, *Madonte*, 1631.
J. AUVRAY, *Dorinde*, 1631.
B. BARO, *Parthénie*, 1642.
B. BARO, *Clarimonde*, 1643.
B. BARO, *Cariste*, 1651.
S. BASIN, *Agimée*, 1629.
I. DE BENSÉRADE, *Gustaphe*, 1637.
Ch. BEYS, *Céline*, 1637 (33).
Ch. BEYS, *L'Hospital des Fous*, 1635.
Ch. BEYS, *Le Jaloux sans sujet*, 1635.
Cl. BILLARD, *Genevre*, 1610.
Fr. BOISROBERT (LE MÉTEL DE), *Pyrandre et Lisimène*, 1633.
Fr. BOISROBERT, *Les Rivaux amis,* 1638.
Fr. BOISROBERT, *Les Deux Alcandres,* 1640.
Fr. BOISROBERT, *Palène*, 1640.
Fr. BOISROBERT, *Le Couronnement de Darie*, 1642.
Fr. BOISROBERT, *Cassandre*, 1654.
Fr. BOISROBERT, *Les Coups d'amour et de fortune*, 1656.
Fr. BOISROBERT, *Théodore*, 1657.
BOURZAC, *L'Esclave couronnée*, 1638.
BROSSE, *Stratonice*, 1644.
C. BOYER, *La Sœur généreuse*, 1646.
C. BOYER, *Ulysse*, 1649.
C. BOYER, *Frédéric*, 1660.
C. BOYER, *Policrite*, 1662.
P. BRINON, *L'Ephésienne*, 1614.
C. CHABROL, *Orizelle*, 1632.
CHAPPUZEAU, *Armetzar*, 1658.
CHARENTON, *Ptolomée*, 1666.
U. CHEVREAU, *La Suite du Mariage du Cid*, 1637.
U. CHEVREAU, *Les Deux Amis*, 1638.
U. CHEVREAU, *Les Véritables Frères rivaux*, 1641.
CHILLAC (DE), *L'Ombre du Comte de Gormas*, 1639.
LES CINQ AUTEURS, *L'Aveugle de Smyrne*, 1638.
G. COLLETET, *Cyminde*, 1642.
D. COPPEE, *Sainte-Aldegonde*, 1622.
CORMEIL (DE), *Le Ravissement de Florise*, 1632.
P. CORNEILLE, *Clitandre*, 1632.
P. CORNEILLE, *Le Cid*, 1637.
P. CORNEILLE, *Dom Sanche d'Aragon*, comédie héroïque, 1650.
Th. CORNEILLE, *Antiochus*, 1666.
D. DE CROY, *Cinnatus et Camma*, 1637.
V. DALIBRAY, *Soliman*, 1637.

G. Guérin de Bouscal, *Le Prince rétabli*, 1647.

A. Hardy, *Théagène et Cariclée*, 1623.

A. Hardy, *Procris, Alceste, Ariadne ravie*, 1624.

A. Hardy, *Arsacome, Cornélie*, 1625.

A. Hardy, *Gésippe, Phraarte, Aristoclée, Frégonde*, 1626.

A. Hardy, *Félismène, La Force du Sang, Dorise*, 1626.

A. Hardy, *Elmire, La Belle Egyptienne*, 1628.

La Caze, *L'Inceste supposé*, 1639.

G. de La Calprenède, *Bradamante*, 1637.

G. de La Calprenède, *Clarionte*, 1637.

G. de La Calprenède, *Edouard*, 1640.

C. S. de Lacroix, *L'inconstance punie*, 1630.

A. Lancel, *Le Miroir de l'Union belgique*, 1604.

Lapouiade, *Faramond*, 1672.

A. de La Pujade, *Jacob*, 1604.

La Serre (Puget de), *Climène*, 1643.

La Serre, *Thésée*, 1644.

La Motte, *Le Grand Magus*, 1656.

La Selve, *Léandre et Héron*, 1633.

La Tour, *Isolite*, 1630.

Le Bigre, *Adolphe*, 1650.

Le Hayer du Perron, *Les Heureuses Aventures*, 1633.

G. Le Riche, *Les Amours d'Angélique et de Médor*, 1638.

Cl. de L'Estoile, *La Belle Esclave*, 1643.

Le Vert, *Aricidie ou le Mariage de Tite*, 1646.

A. Mage de Fiefmelin, *L'Aimée, jeu tragi-comique*, 1601.

J. Magnon, *Josaphat*, 1646.

J. Magnon, *Le Mariage d'Oroondate et de Statira*, 1648.

J. Magnon, *Tite*, 1660.

P. Mainfray, *L'Ephésienne*, 1614.

J. Mairet, *Chryséide et Arimand*, 1630 (25).

J. Mairet, *Virginie*, 1635.

J. Mairet, *L'Illustre Corsaire*, 1640.

J. Mairet, *Le Roland furieux*, 1640.

J. Mairet, *Athénaïs*, 1642.

J. Mairet, *Sidonie*, 1643.

Marcassus, *Les Pêcheurs illustres*, 1648 (41).

A. Mareschal, *La Généreuse Allemande* (deux Journées), 1630.

A. Mareschal, *La Sœur valeureuse*, 1634.

A. Mareschal, *La Cour bergère*, 1640.

A. Mareschal, *Le Mauzolée*, 1642.

Molière, *Dom Garcie de Navarre*, 1682 (61).

Molière, *Dom Juan*, comédie, 1682 (65).

J. de Montauban, *Le Comte de Hollande*, 1654.

J. de Montauban, *Séleucus*, 1654.

Morel, *Timoclée*, 1658.

A. Le Métel d'Ouville, *Les trahisons d'Arbiran*, 1638.

A. Le Métel d'Ouville, *Les morts vivants*, 1646.

F. Pascal, *Agathonphile martyr*, 1655.

F. Pascal, *Endymion*, 1657.

F. Pascal, *Sésostris*, 1661.

G. DE SCUDÉRY, *L'Amant libéral*, 1637.
G. DE SCUDÉRY, *L'Amour tyrannique*, 1639.
G. DE SCUDÉRY, *Eudoxe*, 1641.
G. DE SCUDÉRY, *Andromire*, 1641.
G. DE SCUDÉRY, *Ibrahim*, 1643.
G. DE SCUDÉRY, *Axiane*, 1644.
G. DE SCUDÉRY, *Arminius*, 1643.
F. TRISTAN L'HERMITE, *La Folie du Sage*, 1645 (42).
P. TROTEREL, *Pasithée*, 1624.
J. VALLIN, *Israël affligé*, 1637.
VILLIERS (Cl. DESCHAMPS), *Le Festin de Pierre*, 1660.

Imprimé en France, à Vendôme
Imprimerie des Presses Universitaires de France
1981 — N° 27 348

DATE DUE